「サッカーの教え方」

読んで差がつく60のコツ

練習法や言葉がけの工夫で
子どもの能力をぐんぐん伸ばす

新装版

北浦和サッカー少年団テクニカルディレクター
全日本サッカー指導者協議会顧問
吉野弘一 監修

　長年子どもたちにサッカーを教えてきました。子どもだからというわけではありませんが、指導者は「言葉の選択」に気をつけなければいけません。

　例えば、トラップからパスまでスピーディーにするための練習をしようと思い「トラップしたら、ワンタッチでパスをするように」と言ったとします。

　すると子どもはこんな風にやるかもしれません。

　トラップをして、さてどこにパスをしようかとキョロキョロ。あそこが空いているな、よし助走をつけてパスしよう……。この間ボールには触っていませんから、言われたことは守っています。でも指導者の意図とはかけ離れてしまっています。

　このようなことはいくらでもあります。

　強いシュートを打ちたい……「足を強く振れ！」。

　強くヘディングをしたい……「もっと首を振れ！」。

　でもこの場合も、大切なのは体の使い方であって「強く！」ではないはずです。

　では「ワンタッチ」ではなく、なんと言えばいいのか。これらのポイントとなる言葉などを、本書では解説しています。ぜひ参考にしていただき、子どもの上達を後押ししてください。

北浦和サッカースポーツ少年団
テクニカルディレクター　吉野弘一

C O N T E N T S

「サッカーの教え方」読んで差がつく60のコツ　新装版
練習法や言葉がけの工夫で子どもの能力をぐんぐん伸ばす

Part 1 ステップとリフティングで体を自在に動かす　10

コツ01 ステップワーク①タタタ
ステップの基本になるすばやい足さばきを教える ……………12

コツ02 ステップワーク②グーパー
足ジャンケンでリズムよく「グー」「パー」させる ……………13

コツ03 ステップワーク③サイドステップ
反復横跳びのようなステップ動作を教える ……………14

コツ04 ステップワーク④軸足後ろからクロスステップ
腰をひねりながらクロスするステップワークを教える ……………15

コツ05 ステップワーク⑤中１外２
腰をツイストしながらの前ステップを教える ……………16

コツ06 ステップワーク⑥中２外２
体勢を整えるための「遊び」ステップを入れさせる ……………17

コツ07 ステップワーク⑦ディフェンスステップ
両足同時の横ステップで守備の足の運びを教える ……………18

コツ08 ステップワーク⑧大クロスステップ
ジャンプとジャンプ間のバランスをとらせる ……………19

コツ09 ステップワーク⑨大ステップ
着地したら１回ごとにバランスを整えさせる ……………20

コツ10 ステップワーク⑩バックでサイドステップ
普段やらない後ろ向き移動に慣れさせる ……………21

コツ11 リフティング
ボールの感触を身につけさせる練習 ……………22

コツ12 制約をつけたリフティング
できるようになったらゲーム性を高めて競わせる ……………24

コツ13 いろいろな部位でリフティング
サッカーで使う様々な蹴り方を覚えさせる ……………26

コツ14 リフティングで足し算・引き算
リフティングしながら顔を上げられるように教える ……………28

コツ15 体幹スローイン
スローインの動作で腹筋と背筋を強化させる ……………30

Part 2 ドリブルと身体操作を覚える　32

コツ16 ジンガ
柔らかいボールタッチができているかをチェック ……………………34

コツ17 タッチタッチ
小指側3本の足指周辺で押し出すようにタッチさせる ………………36

コツ18 タップ
股下にボールを置きながらの細かいタッチを教える ………………38

コツ19 ロール
横に振った足裏を使ってのボールの転がし方を教える ………………40

コツ20 タップタップ・ロール
タップとロールを組み合わせ実戦的な動きを完成させる ……………42

コツ21 片足インアウト
インで行くぞと誘ってからアウトでの切り返しを教える ……………44

コツ22 両足インアウト
ディフェンダーを横にゆさぶるタッチを教える ………………………46

コツ23 タップタップ〜インアウト
タップで軽く前進してからすばやくインアウトさせる ………………48

コツ24 アウトアウト〜シザース
アウトで加速すると見せかけて留まったり切り返しを教える …………50

コツ25 ステップオーバー
ボールを触らずまたぐ動きを身につけさせる …………………………52

コツ26 カニ歩き（ダブルタッチ）
2回連続のインサイドタッチで相手の足のかわし方を教える …………54

コツ27 アウトサイドターン〜インサイドターン
小回りの利いた鋭いターンを教える ……………………………………56

※本書は2018年発行の『パパが子どもを伸ばす「サッカーの教え方」読んで差がつく60のコツ』を元に内容の確認を行い、書名・装丁を変更して新たに発行したものです。

Part 3 サッカーの基礎パス&コントロールを覚える 58

コツ28 無重力トラップ
ボールの勢いを消すため軸足を浮かせることを教える ·················60

コツ29 無重力トラップ～ターン
トラップしながらターンすれば前を向けることを教える ···············62

コツ30 ボールをもらいに動いてトラップ
トラップした足を次に踏み出す1歩目にすることを教える ··············64

コツ31 パス&ゴー
蹴り足が1歩目になる走りながらのパスを教える ·················66

コツ32 トラップしたらワンステップでパス
「ワンタッチでパス」ではなく「ワンステップでパス」と教える ······68

コツ33 ダイヤモンド型パス&コントロール①
パス&コントロールを総合的に学べる練習法 ·················70

コツ34 ダイヤモンド型パス&コントロール②
首を2回振って背後の状況を確認させる ·················72

コツ35 ダイヤモンド型パス&コントロール③
ディフェンダーの状況次第でプレーを変えることを教える ············74

コツ36 ダイヤモンド型パス&コントロール④
受け手のことを考えたパスのタイミングを教える ·················76

コツ37 サッカーテニス
サッカーテニスで協力することを覚えさせる ·················78

Part 4 1対1のテクニックを覚える　80

コツ38 相手が正面にいるときの仕掛け
間合いを詰めて駆け引きをし仕掛けまでのコツを教える ……………82

コツ39 相手が横にいるときのドリブル
ボールを取られないよう体と足でボールを守らせる ……………84

コツ40 サイドからの仕掛け①縦へ突破
サイドを突破できればビッグチャンスだと教える ……………86

コツ41 サイドからの仕掛け②カットイン
シュートを狙える武器カットインを教える ……………88

コツ42 1対1の練習①ドリブル突破
内へのカットインと縦への突破を学べる練習 ……………90

コツ43 1対1の練習②ルーズボールスタート
ディフェンダーを背負った形からの1対1を学べる練習 ……………92

Part 5 シュートテクニックを覚える　94

コツ44 軸足のポイント
蹴った直後に軸足は地面から抜くように伝える ……………96

コツ45 蹴り足のポイント
蹴った直後にパワーを解放するイメージと伝える ……………98

コツ46 フォーム全体のポイント
バランスの取れたフォームがパワーの原動力だと教える ……………100

コツ47 横からのボールをボレーシュート
準備段階でかかとをお尻に近づけると教える ……………102

コツ48 後ろからのボレーシュート
ボールの落ち際でミートするように伝える ……………104

シュートがうまくなる練習法
①長い距離を走ってからシュートを打たせる練習 ……………106
②ドリブルをしてからシュートを打つ練習法 ……………108
③スローインとボレーを取り入れたシュート練習 ……………110

7

Part 6 子どものやる気を引き出すアドバイス　112

コツ49 教える人の責任
教える人には勉強する責任がある　……………………114

コツ50 子どもの叱り方、ほめ方
叱りたいことがあったら20秒だけ我慢してみる　……………115

コツ51 サッカー経験者が教えるときの注意点
経験者が教える昔の常識はもう古いかもしれない　……………116

コツ52 子どもへの声かけ術
言いたいことの100分の1だけにする　……………………117

コツ53 あえて「反省禁止」にする
ミスをした子どもに追い打ちをかけない　……………………118

コツ54 練習できる子が伸びる
練習に使える時間には限りがある　………………………119

コツ55 思いがけない発想をほめる
子どもらしい思いつきは個性として伸ばす　……………………120

コツ56 達成感が子どもを伸ばす
できないことをやらせるよりできるレベル設定でやる　…………121

コツ57 勝利にこだわりすぎない
目先の勝利よりも子どもの将来に責任を持つ　………………122

コツ58 動画でプレーをチェックする
簡単に動画が撮れるのに利用しないのはもったいない　………123

コツ59 ルール設定を工夫する
じゃんけんの不確実さなどを利用してルールを決める　…………124

コツ60 下手な子に勝たせる方法
「勝った」という喜びが子どものやる気を引き出す　……………125

監修者紹介　………………………………………126

本書の使い方

本書は、サッカーをプレーする子どもの上達を望む親や指導者に向けての指南書です。子どもに対してどう指導すればよいのか、そのヒントとなる言葉や、テクニックのポイントを解説しています。サッカーの基礎技術を中心に、試合でも生かせるテクニックを紹介していますので、個人練習、チーム練習のどちらでも対応できます。

テクニック・プレー名
テクニックやプレーの名前を記載しています

タイトル
具体的な教え方のポイントを解説しています

この練習のねらい
紹介しているテクニックや練習のねらいです

コツ 14　Part1　ステップとリフティングで体を自在に動かす
リフティングで足し算・引き算

リフティングしながら顔を上げられるように教える

この練習のねらい
一度ボールから目を離して、再び正確にコントロールする。これは試合中に周囲の選手を確認したり、スペースを探したりするときに必要な動作。目を離す前に、スピードや角度から、ボールがこの先のようにどう動くかを予測しておくことが大切。一瞬で見る動体視力や頭と体を別々に働かせる能力も養わせることができる。

POINT 1　まずは顔を上げて見ることから始めさせる
〔声かけ〕これ何本！？
まずは片手で1本〜5本の指を示して、リフティング中にそれを見て答えさせる。これはそのまま書うだけなので難易度は低い。

押さえておきたいポイント！
❶一瞬でもものを見ること、首をすばやく動かすことは、サッカーではとても大切な能力だ。
❷頭と体が別のことができるようになる。

うまくいかないときの 1POINTアドバイス
まずは首を振る練習をするために、ワンバウンドでもOKとするなど、リフティングのレベルを下げてやらせてみる。

POINT 2　足し算と引き算にチャレンジさせる
〔声かけ〕足し算で答えて！
両手で数字を示して、これを足したり引いたりさせてみよう。体の動きと、頭での計算は別になるので難易度は高い。

POINT 3　数字を示す位置を変えてみる
〔声かけ〕ほら、よく見て！
足し算、引き算の応用。手を出す場所を変えると、周辺視野で見なければならないので、広い視野をトレーニングさせられる。

声かけ
子どもに対して、おすすめの声かけワードです

POINT
子どもに対して、どう教えるのか、そのポイントを解説しています

ポイントやアドバイスのまとめ
教えるときに押さえておきたいポイントや、監修者からのアドバイスです

Part 1

ステップとリフティングで体を自在に動かす

サッカーのテクニックを習得する前に、
自分の体を自由自在に動かせるようになるための
ステップワークを練習させよう。
そして、ボールタッチのベースとなるリフティングと
体の芯を強化するトレーニングで基礎力を身につけさせる。

ステップワークで身につくこと

コツ01	タタタ	▶すばやい足さばき	p12
コツ02	グーパー	▶足の開閉動作	p13
コツ03	サイドステップ	▶横へのステップ動作	p14
コツ04	軸足後ろからクロスステップ	▶足を交差させるステップ動作	p15
コツ05	中1外2	▶体をひねりながらのステップ動作	p16
コツ06	中2外2	▶体勢が整うステップ動作	p17
コツ07	ディフェンスステップ	▶両足同時の足の運び方	p18
コツ08	大クロスステップ	▶大きなクロスジャンプ動作	p19
コツ09	大ステップ	▶ジャンプ着地時のバランス力	p20
コツ10	バックでサイドステップ	▶後ろ移動のステップ動作	p21

リフティング&スローインで身につくこと

コツ11	リフティング	▶ボールの感触	p22
コツ12	制約をつけたリフティング	▶リズム感と正確性	p24
コツ13	いろいろな部位でリフティング	▶多くのボールタッチ方法	p26
コツ14	リフティングで足し算・引き算	▶判断力と視野の確保	p28
コツ15	体幹スローイン	▶腹筋と背筋の強化	p30

コツ 01

Part1 ステップとリフティングで体を自在に動かす

ステップワーク①タタタ

ステップの基本になる
すばやい足さばきを教える

ももを上げるのではなく足を前へ前へと出させる

目的はすばやい足の動きを身につけさせること。もも上げのように、筋力や心拍のトレーニングにならないように注意させる。

声かけ タタタと軽いリズムで！

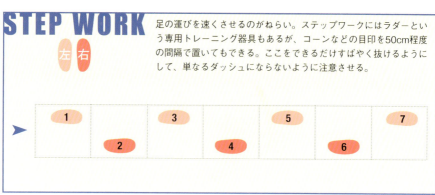

STEP WORK

足の運びを速くさせるのがねらい。ステップワークにはラダーという専用トレーニング器具もあるが、コーンなどの目印を50cm程度の間隔で置いてもできる。ここをできるだけすばやく抜けるようにして、単なるダッシュにならないように注意させる。

コツ 02　Part1 ステップとリフティングで体を自在に動かす
ステップワーク②グーパー

足ジャンケンでリズムよく「グー」「パー」をさせる

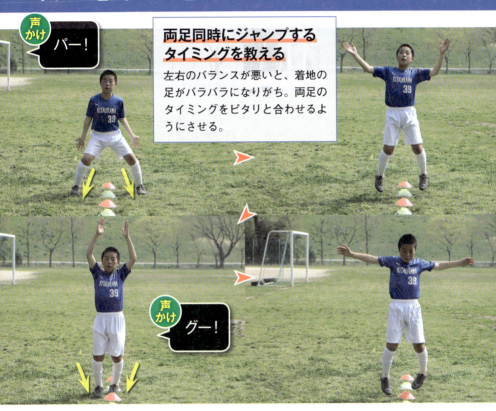

両足同時にジャンプするタイミングを教える

左右のバランスが悪いと、着地の足がバラバラになりがち。両足のタイミングをピタリと合わせるようにさせる。

声かけ「パー！」

声かけ「グー！」

STEP WORK

両足を閉じる「グー」と、開く「パー」を1マスごとに繰り返す。また「パー」のときに両手は開き、「グー」のときに両手を頭の上で叩く。高くジャンプするというよりは、低くリズムよくジャンプして、足の運びを正確にできるようにする。

コツ 03 Part1 ステップとリフティングで体を自在に動かす
ステップワーク③サイドステップ

反復横跳びのような
ステップ動作を教える

横に足を出したときに重心を真ん中に残させる

中心は「タタ」と軽やかに、「タン」で足を横に出す。つなげると「タタ、タン」のリズムになる。「タン」で重心を真ん中に残させるように。

声かけ　重心は真ん中に残して！

STEP WORK

左　右

反復横跳びに似たステップで、1マスずつ前進していく。反復横跳びは3本のラインをまたぐものだが、これは1本少ない。またラインを越えたときに両足を同時に着地する必要はなく、すぐに逆の足を次のマスに運ぶようにする。

コツ 04 Part1 ステップとリフティングで体を自在に動かす
ステップワーク④軸足後ろからクロスステップ

腰をひねりながらクロスする
ステップワークを教える

足をクロスするときに腰のひねりを使わせる

進行方向は右前だが、左足は右後方へ。このねじれを解消するために腰を左へひねる。このとき両ヒジを広げてバランスをとらせる。

声かけ　両ヒジでバランスをとって！

STEP WORK

左　右

このステップのポイントは、マスの中に着いた足の後ろから次の足を通して、クロスさせること。数字でいうと、3、6、9、12、15、18、21がそれだ。このとき腰のひねりを利用するが、外の足を着いたときに戻すのも大切だ。

コツ 05

Part1 ステップとリフティングで体を自在に動かす

ステップワーク⑤ 中1外2

腰をツイストしながらの前ステップを教える

上体を正面にしたまま腰をひねらせる

前に出した足をすばやく戻すために、上体は正面に向けたままにさせておく。このとき腰をツイストするようなイメージでやらせる。

声かけ 出した足にアクセントを！

STEP WORK

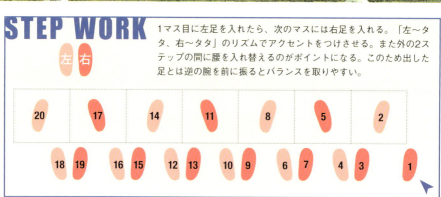

1マス目に左足を入れたら、次のマスには右足を入れる。「左〜タタ、右〜タタ」のリズムでアクセントをつけさせる。また外の2ステップの間に腰を入れ替えるのがポイントになる。このため出した足とは逆の腕を前に振るとバランスを取りやすい。

コツ 06

Part1 ステップとリフティングで体を自在に動かす

ステップワーク⑥ 中2外2

体勢を整えるための「遊び」ステップを入れさせる

軽い前傾姿勢になって前後にすばやくさせる

ステップ自体は「左右、左右」の4テンポで前後するだけなので単純。合間に「タタ」と「遊び」ステップを入れさせよう。

声かけ 両足同時くらいでいいよ！

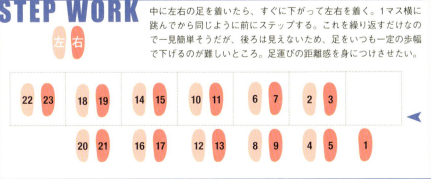

STEP WORK

左 右

中に左右の足を着いたら、すぐに下がって左右を着く。1マス横に跳んでから同じように前にステップする。これを繰り返すだけなので一見簡単そうだが、後ろは見えないため、足をいつも一定の歩幅で下げるのが難しいところ。足運びの距離感を身につけさせたい。

コツ 07 Part1 ステップとリフティングで体を自在に動かす
ステップワーク⑦ディフェンスステップ

両足同時の横ステップで 守備の足の運びを教える

ジャンプは低く鋭くして地面を滑るように移動させる

ジャンプの高さや幅を競うものではないので、地面を滑るように低く鋭く跳ばせる。ピョンピョンではなくザッザッというイメージだ。

声かけ 頭の高さは一定だよ！

STEP WORK　両足同時の踏み切りで斜め前にジャンプ。着地も両足同時だ。このとき外側の足はマスの外へ、内側の足はマスの中に残す。次は内外の足が逆になる。すべて両足同時で行うのがポイントだが、特に着地のときにバラバラになりやすいので注意させる。

コツ 08　Part1　ステップとリフティングで体を自在に動かす
ステップワーク⑧ 大クロスステップ

ジャンプとジャンプの間の
バランスをとらせる

腕を振り上げ大股で跳び越えさせる

右にジャンプしたら左足で着地するので、次のジャンプでバランスを崩しやすい。着地の勢いをうまく吸収させる。

声かけ　ヒザで勢いを吸収して！

STEP WORK

左　右

右側から跳ぶ1は左足、左側で着地する2が右足と逆になっていることに注目。片足踏み切り、片足着地で、止まらず連続で行う。また1マス飛ばしなので最低でも70cm程度はジャンプすることになる。跳躍力、バランス感覚、筋力を同時に養える。

コツ 09 Part1 ステップとリフティングで体を自在に動かす

ステップワーク⑨ 大ステップ

着地したら1回ごとに
バランスを整えさせる

空中にいる時間を長くさせる

雑にやってしまうと、ただの大股連続跳びになってしまう。対空時間を長くするイメージで、1回ごとのジャンプを大事にやらせる。

声かけ　ジャンプは大きく！

STEP WORK

左　右

コツ08では跳ぶ方向と着地する足が逆になっていたが、これは同じになる。1マス飛ばしで、最低でも70cm程度は大きくジャンプする点は同じ。その代わり、1歩ごとに止まって片足でバランスをとるのがポイントになる。上体も含めて全身で勢いを吸収させる。

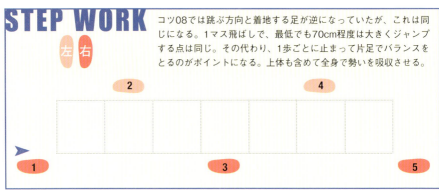

コツ 10 Part1 ステップとリフティングで体を自在に動かす
ステップワーク⑩ バックでサイドステップ

普段やらない後ろ向き移動に慣れさせる

見えない位置に正確に足を出させる

頭を下げて後ろを見たくなるが、できるだけ姿勢は崩さないようにさせる。見えていないところに正確に足を出せるように。

声かけ：頭を下げないで！

STEP WORK

コツ03のステップを後ろ向きに行う。反復横跳びのバックステップバージョンだ。前進するのは足を着く位置を見ながらできるが、後ろ向きなのでほとんど見えない。50cm移動するためには、どの程度足を運べばいいかという感覚を養える。

コツ **11** Part1 ステップとリフティングで体を自在に動かす

リフティング

ボールの感触を身につけさせる練習

人数も場所も選ばず気軽にできる練習だと教える

声かけ しっかり足の甲に当てて！

押さえておきたいポイント！

① 強く蹴りすぎると、落ちてくる勢いも強くなるので次が続かない。
② ボールの重さを感じつつ、足の甲に正確に当てて、蹴り上げられるようにさせる。

うまくいかないときの 1POINTアドバイス

繰り返し練習すれば、だれでもある程度はできるようになる。チャレンジしたいという意欲を刺激してあげることが大切だ。

この練習のねらい

ボールはどのくらいの力で蹴ったらどれくらい飛ぶのか。どこで蹴ったらどんな跳び方をするのか。そういったボールコントロールの基礎を身につけさせるために行うのが、リフティングだ。狭いところでもできるし、1人でもできるのがいいところ。ちょっとした時間を見つけて、繰り返し練習するように習慣づけさせよう。

POINT 1 連続が難しければワンバウンドさせる

声かけ：ワンバウンドでもいいよ！

子どもはできるようになるのがうれしい。いきなりリフティングを連続でやらせるよりも、間にボールを地面に落とすワンバウンドを入れさせて、成功体験を味わわせることで、やる気を引き出すことができる。

POINT 2 ボールの空気を抜けばコントロールが楽になる

通常のサッカーボールの空気圧でリフティングすると、ポンポン跳ねてしまって難しい。そこで、最初は空気を抜いた柔らかいボールでやらせる。もし強く蹴ってしまっても、とんでもないところに飛んで行ってしまうことはない。

POINT 3 足首をよく見てあげてスピンをチェックする

リフティングでボールを蹴らせるのは足の甲と教えよう。つま先に近いところで蹴ると、ボールに逆スピンがかかってしまい、連続させるのが難しくなる。リフティング時の足首の曲がり方をチェックしてあげよう。

コツ 12 Part1 ステップとリフティングで体を自在に動かす
制約をつけたリフティング

できるようになったら
ゲーム性を高めて競わせる

POINT 1 リズム感を養うために片足だけでやらせる

声かけ 歩幅は小さく、リズムよくね！

蹴った足を地面につけたら、同じ足で休まず蹴らせる。連続してテンポよくやると、トトン、トトンというステップの練習にもなる。

POINT 2 ボールがヒザよりも高く上がらないように

ボールの高さをヒザより下と制限する。蹴る強さを一定にするという狙いもあるが、足が地面についている時間を短くしなければ間に合わないので、細かいステップを覚えられる。

声かけ ボールを低い位置でつこう！

この練習の ねらい

両足である程度自在にリフティングができるようになったら、いろいろな制約をつけてやらせてみよう。ゲーム性を取り入れて競わせるのもいい方法だ。まず思いつくのは回数。ノーバウンドという縛りで連続何回できるか。〇回できたら合格、といったもの。もう一回、もう一回とやるようになったらどんどんうまくなるはずだ。

POINT 3 リフティング1対1でボールの奪い合いをさせる

1人が背中側からボールを奪いに行く。ボールが浮いている間に後方を確認して、ボールの間に体を入れられるようにさせる。

声かけ：体でボールを守って！

DF役

押さえておきたいポイント！

❶ その子の能力などを見極めて、頑張ればできるかもしれないという目標を設定してあげる。
❷ ゲーム性を取り入れると、子どもたちの競争心を刺激できる。

うまくいかないときの 1POINTアドバイス

リフティングって面白い！と思わせるのが上達させるコツ。連続回数が増えた、といったわかりやすい目安を設定してあげよう。

コツ **13** | Part1　ステップとリフティングで体を自在に動かす
いろいろな部位でリフティング

サッカーで使う様々な蹴り方を覚えさせる

いろいろな足でリフティングさせる　声かけ　苦手な足をどんどん使おう！

押さえておきたいポイント！
① ここで紹介したほかには、ヒザや肩や頭などがある。
② ボールがあちこちに飛んでしまうのは、スパイクを上げきれていないことが多い。

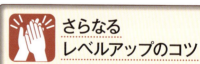

さらなるレベルアップのコツ

かかとのとき、地面につま先をつけたままでやる方法もある。これはさらに難易度が高いので、できる人はチャレンジしてみよう。

この練習のねらい

サッカーにはインステップキックのほかに、インサイドキックやアウトサイドキックといった蹴り方もある。リフティングでこういった部位を使っておけば、実際にボールを蹴るときのタッチの感覚を養うことができる。インステップはよく使っても、インサイドやアウトサイドはあまりやらないので、意識してやらせるようにする。

POINT 1 スパイクをお尻に近づけさせる

声かけ　アウトを腰まで上げて！

アウトサイドを使ってのリフティングでは、わき腹を締めて、ふくらはぎが地面と平行になるようにする。そのためにはスパイクを腰まで上げるように意識させるといい。足の小指側の面にボールを当てれば真上に上がる。

POINT 2 ヒザを外に向けて股関節を開かせる

声かけ　足の面を上げてみて！

インサイドでリフティングしてボールを蹴るときは、ヒザを外に向けて、股関節を開かせるのがポイント。すねが地面と平行になるまで上がっているかチェックしてあげよう。ボールが真上に上がるように足の面でボールを突く。

POINT 3 体をねじってボールをよく見る

声かけ　ボールをよく見て！

かかとのリフティングは面ではなく点なので、難易度が高い。体をねじって最後までボールを見て、ピンポイントで正確に当てさせるように。連続させることは難しいかもしれないが、かかとに当てて真上に上がればOKだ。

コツ 14 Part1 ステップとリフティングで体を自在に動かす

リフティングで足し算・引き算

リフティングしながら顔を上げられるように教える

POINT 1 まずは顔を上げて見ることから始めさせる

声かけ　これ何本!?

まずは片手で1本〜5本の指を示して、リフティング中にそれを見て答えさせる。これはそのまま言うだけなので難易度は低い。

押さえておきたいポイント!

① 一瞬でものを見ること、首をすばやく動かすことは、サッカーではとても大切な能力だ。
② 頭と体が別のことができるようになる。

うまくいかないときの 1POINTアドバイス

まずは首を振る練習をするために、ワンバウンドでもOKとするなど、リフティングのレベルを下げてやらせてみる。

この練習の ねらい

一度ボールから目を離して、再び正確にコントロールする。これは試合中に周囲の選手を確認したり、スペースを探したりするときに必要な動作だ。目を離す前に、スピードや角度から、ボールがこの先どのように動くかを予測しておくことが大切。一瞬で見る動体視力や頭と体を別々に働かせる能力も養わせることができる。

POINT 2 足し算と引き算にチャレンジさせる

両手で数字を示して、これを足したり引いたりさせてみよう。体の動きと、頭での計算は別になるので難易度は高い。

声かけ：足し算で答えて！

POINT 3 数字を示す位置を変えてみる

足し算、引き算の応用。手を出す場所を変えると、周辺視野で見なければならないので、広い視野をトレーニングさせられる。

声かけ：ほら、よく見て！

コツ 15 Part1　ステップとリフティングで体を自在に動かす

体幹スローイン

スローインの動作で腹筋と背筋を強化させる

POINT 1　両足を肩幅に開いて地面につけたままで

まずは両足を肩幅に開いて、地面につけたままで。瞬間的に力を出し切るような体の使い方を覚えさせる。

POINT 2　ワンバウンドで届くよう強く叩きつけさせる

ボールはできるだけ高く弾ませて、5m程度をワンバウンドで相手に届くくらい力強く叩きつける。ボールが左右に曲がらないようバランスよく、まっすぐ飛ぶように全身を使って投げよう。

声かけ　地面に強く！

この練習の ねらい

体幹の強さは、サッカー選手としてとても大きな武器になる。スローインの動作で、腹筋や背筋のトレーニングをさせられるのがコレだ。2人1組になって向かい合い、スローインの要領で地面にボールを叩きつける。このとき上半身を後ろに逸らせたところから、一気に前に振るようにさせるのがポイントだ。

声かけ 一気に振り下ろす!

声かけ 体を反らせて!

POINT 3 振りかぶったときにジャンプしてやらせる

ジャンプしてから投げる方法にもチャレンジ。空中で姿勢を安定させ、着地する瞬間にパワーを出し切れているかをチェックしよう。

押さえておきたいポイント!

① 後ろに逸らしたときに背筋を、振り下ろすときに腹筋を使って、スローインをする。
② バウンドは高くて、相手に正確に届くのが理想。

うまくいかないときの 1POINTアドバイス

低学年だとボールの重さに負けてしまいがち。おへその下あたりの腹筋を締めて、頭から振り下ろすイメージでやらせてみよう。

Part 2

ドリブルと
身体操作を覚える

ボールをたくさん触ることでサッカーの技術は上達する。
そこで、様々な足の動き、足の運びを身につけさせるために
ボールフィーリング（ドリブル）を練習させよう。
タッチに慣れてきたら、ディフェンダーがいることを想定させて
練習させると実戦力を身につけさせることができる。

ボールフィーリングで身につくこと

コツ16	ジンガ	▶ ボールを使ったステップワーク	p34
コツ17	タッチタッチ	▶ タッチの感触とすばやい足さばき	p36
コツ18	タップ	▶ 細かいボールタッチ	p38
コツ19	ロール	▶ ボールの転がしテクニック	p40
コツ20	タップタップ・ロール	▶ 複合的なボールテクニック	p42
コツ21	片足インアウト	▶ 左右への足運びと切り返し	p44
コツ22	両足インアウト	▶ 左右への足運びとステップワーク	p46
コツ23	タップタップ〜インアウト	▶ 複合的な足さばき	p48
コツ24	アウトアウト〜シザース	▶ またぎ動作とバランス力	p50
コツ25	ステップオーバー	▶ またぎ動作と切り返しのテクニック	p52
コツ26	カニ歩き（ダブルタッチ）	▶ 連続タッチとステップワーク	p54
コツ27	アウトサイドターン〜インサイドターン	▶ 鋭いターンテクニック	p56

コツ16 Part2 ドリブルと身体操作を覚える
ジンガ

柔らかいボールタッチができているかをチェック

POINT 1 足の裏で引き軸足の後ろを通させる

声かけ：ボールを止めないように！

足の裏を使ってボールを後ろに引く。軸足の後ろまで来たら、つま先の少し内側に当てて横へ転がす。軽く跳びはねるようにさせよう。

POINT 2 ゲームとして楽しめるジンガで1対1をさせる

2m四方のエリアに区切って、ジンガでボールの奪い合い。ボールタッチの練習なので、体をぶつけて奪うのは禁止。競い合い、ゲームとして楽しみながら、ボールタッチを覚えさせられる。

声かけ：ボールを守れ！

この練習のねらい

細かいステップワークをしながら、ボールを軸足の後ろから通したり、またいだりする。これはブラジル独特のリズムの取り方で、ジンガと呼ばれる。足の裏、つま先の少し内側と外側、かかとの周辺、土踏まずなどを使って、ボールフィーリングの基礎を身につけさせる。ボールを足にまとわりつかせるイメージで動かす。

POINT 3 裸足でやらせて足指の感覚も研ぎ澄ます

芝生など危なくないグラウンドなら、裸足でやらせてみる。足の指の裏側でボールをつかむ、指の表面でなでるといったように、ボールを扱う感覚が研ぎ澄まされ、タッチがより繊細になる。

声かけ「ボールを足で感じて！」

コツ 17　Part2　ドリブルと身体操作を覚える
タッチタッチ

小指側3本の足指周辺で押し出すようにタッチさせる

POINT 1　ディフェンダーが目の前にいるイメージを持たせる

声かけ：タッチ回数を増やそう！

ディフェンダーが前にいるイメージでやらせると、タッチを小さくさせやすい。そうすればいつでもスピードアップできる。

POINT 3　タッチが強すぎないように教えよう

ボールを転がしたら軸足を引き寄せ、そこからすぐに次のタッチをさせる。タッチが強すぎるとボールが足から離れて、2歩以上走らないと届かなくなってしまう。ボールとの距離は20〜30cmを保たせよう。

この練習のねらい

ドリブルをしているとき、ディフェンダーとの距離を詰めたり、突破をするタイミングを図ったりするときのボールタッチを覚えさせる。小指側3本の足指と足の甲外側の辺りを使って、ボールを押し出しながら前進する。軸足を引き寄せるタイミングを早くさせると軽やかなステップになりやすい。タッチが強くなりすぎないように。

POINT 2 足首を柔らかくしてつま先を下に向けさせる

足指の上面と甲を使うためにつま先を地面に向けさせる。このとき足首を柔らかく使うとタッチも柔らかくなりやすい。

押さえておきたいポイント！

❶ ディフェンダーとの駆け引きや突破するための準備に使える

❷ ボールを押し出すのと軸足を引き寄せるのは、ほとんど同時のタイミング

さらなるレベルアップのコツ

タッチのリズムを変化させたり、上体を左右に振ったりすると、ディフェンダーはそれに惑わされるため、より実戦的になる。

コツ 18 Part2 ドリブルと身体操作を覚える
タップ
股下にボールを置きながらの細かいタッチを教える

POINT 1 頭の位置を左右に動かないようにさせる

声かけ：小さくリズムよく！

動かす幅はボール1個半くらいにさせる。大きく動かそうとすると頭も左右に動いてしまう。頭の動きをチェックしてあげよう。

POINT 3 ヒザが伸びていると上体が揺れてしまう

ボールを扱うときはヒザは軽く曲げて、柔らかく使うように教える。ヒザが伸び切っていると、繊細なボールタッチができない。また上体は左右に揺れるため、安定感がなくなってしまうので気をつけさせる。

38

この練習のねらい

股下にボールを置いたら、足の内側の土踏まず辺りを使って、左右に細かく転がし続ける。これはサイドでボールをキープして内側を向いたときに使えるテクニックだ。タップから縦へ突破を狙えるし、切り返してカットインもできる。またタップからロールを入れて、ディフェンダーを誘うといった変化もつけられる。

POINT 2 腰の高さは一定を保たせる

声かけ：軽くヒザを曲げよう！

軸足を替えるときに、上に跳びはねていないかチェックする。腰の高さは一定。そのためにはヒザを軽く曲げさせておく。

押さえておきたいポイント！

① サイドでボールをキープしたときに使えるテクニック
② ヒザを軽く曲げて、ボールを動かすのは少しだけ。頭の位置はほとんど動かさない

うまくいかないときの 1POINTアドバイス

軸足を切り替えるのが遅いと次のタップが遅れる。一歩ごとに軸足に重心を乗せるのではなく、真ん中に保っておくといい。

コツ **19** Part2 ドリブルと身体操作を覚える

ロール

横に振った足裏を使っての ボールの転がし方を教える

POINT 1 かかと裏ではなく土踏まずよりも前を使わせる

声かけ 指の付け根で触ってみて！

土踏まずよりも前の部分を使ってボールを扱わせる。かかとの裏で転がそうとすると、足首を使えないので、うまく転がせない。

POINT 3 足がクロスすると接触でケガのリスク

軸足に重心が残ったまま足をクロスさせないこと。もしこの瞬間、右足にタックルを受けると、左足がロックされた状態になってしまう。ケガのリスクが高い危険な形だ。クロスしたら必ず軸足を抜くようにしよう。

この練習のねらい

ディフェンダーは自分の横をドリブルで突破されることをもっとも警戒するため、足を前後に開いて構えることが多い。そうなると横の動きには弱くなる。特に前に出している足の側には動きにくい。そんなときに使えるタッチが、このロールだ。特にタップをしてディフェンダーの足が止まった瞬間を狙うと、反応が遅れやすく効果的だと教えよう。

POINT 2 転がしたときには軸足が浮いている

声かけ 軸足を抜いて！

跳び上がるのではなく、滑るように横へ移動させるのが理想。ボールを転がした瞬間に、軸足から重心を外すように教えよう。

押さえておきたいポイント！

① 縦を警戒するディフェンダーを横にゆさぶりをかける
② 軸足に重心が乗ったまま足をクロスさせておくと、ケガのリスクが高くなる

うまくいかないときの 1POINTアドバイス

ボールに体重を乗せてしまうとうまく転がらない。ボールの上面を足の裏でなめるように動かす。この距離感と感覚を身につけさせる。

コツ 20 Part2 ドリブルと身体操作を覚える
タップタップ・ロール

タップとロールを組み合わせて実戦的な動きを完成させる

POINT 1 タップタップで軽く前進させる

声かけ 「トン、トン」

タップをしながら軽く前進していく。このときディフェンダーとの距離をじわじわと詰めていくイメージでやらせる。

POINT 3 タップが強いとロールができない

タップは同じ強さ、同じリズムでやる。最後のタップが強いと、ロールで空振りしたり、ボールに乗ってバランスを崩したりする。なにより仕掛けるときのタップが強くては、ディフェンダーにタイミングを教えているようなものだ。

この練習のねらい

タップとロールはそれぞれバラバラに使うよりも、つなげた方がより実戦的な技になる。タップでディフェンダーの足が止まったり、つられて足を出してきた瞬間、ロールで横へかわす。間髪入れずつなげるのがポイントだと教えよう。ディフェンダーが慌ててついてこようとしたときには、すでに有利な位置関係と体勢になっている。

POINT 2 タップからロールをスムーズにつなげさせる

声かけ：トーン！

タップとロールをつなげるとき、間が空かないように教えよう。ディフェンダーにタップを続けると思わせるのが成功のポイントだ。

押さえておきたいポイント！

① ボールフィーリングのテクニックは、複数を組み合わせることでより実戦的になる。
② タップでディフェンダーを惑わせて、ロールを仕掛ける

うまくいかないときの 1POINTアドバイス

組み合わせるとうまくいかないというときは、ジンガを裸足でやるなど、ボールタッチの感覚をもっと高めるように努力しよう

コツ 21 Part2 ドリブルと身体操作を覚える

片足インアウト

インで行くぞと誘ってから
アウトでの切り返しを教える

POINT 1 インでボールを転がして抜くぞと見せかける

声かけ：**本気で左へ抜くつもりで！**

右足のインでボールを左に転がす。このとき「本気で左を抜くぞ」という気持ちでやらせる。ディフェンダーの重心が右に乗れば成功だ。

POINT 3 インが強すぎると切り返しが遅れる

インで強く蹴りすぎるのはよくない。アウトの位置まで足を大きく動かさなければならないため、切り返しに時間がかかる。またこの瞬間、足がクロスするため接触したときにケガをしやすいので注意させる。

44

この練習のねらい

ディフェンダーと正対しているときの仕掛け方の1つ。ドリブル突破のきっかけを作りたい。またはシュートやパスコースを作りたいというときに使える。インで抜くぞと誘って、ディフェンダーの重心がそちらに乗った瞬間に一気にアウトに切り返させる。これは得意な足だけでも仕掛けられるので、苦手な足があっても苦にならない。

POINT 2 ディフェンダーがつられれば右にコースができる

インの誘いに引っかかったディフェンダーは、アウトへ切り返すと反応が一瞬遅れる。ドリブル、シュート、パスのコースができる。

声かけ　切り替えを速く！

押さえておきたいポイント！

❶ インを使って、本気で抜こうとしていると思わせる
❷ 成功すればそのまま加速してディフェンダーを抜き去れる。シュートやパスのコースにもなる

さらなるレベルアップのコツ

インで抜くと思わせつつ、ゆったりと誘っておいて、アウトで急にスピードアップすると、さらにメリハリのあるフェイントになる

コツ22 両足インアウト

Part2 ドリブルと身体操作を覚える

ディフェンダーを横に ゆさぶるタッチを教える

POINT 1 右に転がるボールをインで内側に切り返させる

右斜め前にボールを蹴り出してから、右足のインを使って切り返させる。左足は次のアウトに備えてボールの後ろへ。

声かけ ボールは左足の前に！

POINT 3 体の外に出てしまうとコントロールできない

インのときボールは体の幅の内側に収まるようにする。外に出るとそれだけ足の動きを大きくしなければならないため、動作に時間がかかってしまう。またボールが遠くなればコントロールも難しくなることを教えよう。

この練習のねらい

インアウトを両足で行うと、片足よりもボールを横へ大きく動かすことができる。ということはディフェンダーにも横に大きくゆさぶりをかけられるということになる。片足では、ディフェンダーにタイミングよく足を伸ばされると触られる可能性があるが、両足ならディフェンダーに触られる危険性はグッと低くなることを教えよう。

POINT 2 右足で外に蹴って軽やかに加速させる

声かけ　軽やかにステップして！

左足アウトでボールを蹴り出す。このとき右足を踏ん張るというよりも、ステップワークでやったように軽やかに加速させる。

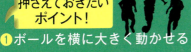

押さえておきたいポイント！

① ボールを横に大きく動かせるので、ディフェンダーに触られる危険性は低くなる
② 踏ん張るのではなく、軽やかにステップを踏む

うまくいかないときの 1POINTアドバイス

利き足と逆の足でボールを扱うのが苦手ということが多い。レベルアップするために、苦手な足をなくす努力をしよう

コツ23 Part2 ドリブルと身体操作を覚える
タップタップ～インアウト

タップで軽く前進してから すばやくインアウトさせる

POINT 1 タップに見せかけてインに切り替えさせる

声かけ：体の真下でタップして!

タップとインの足の使い方はほとんど同じでいい。反対の足がボールの後ろで準備できているかをチェックしてあげよう。

POINT 3 ヒザが伸びるとリズムが悪くなる

タップのときにヒザが伸びていると、繊細なボールタッチができない。さらにタッチのたびに頭が左右に大きく動いてしまい、リズムが悪くなる。これではインアウトにつなげられないぞということを教えよう。

この練習のねらい

タップタップで軽く前進してから、インアウトで切り返す。インのときの足の使い方はタップとほとんど同じなので、ディフェンダーからはまだタップを続けるように見える。その瞬間、アウトを使って大きくボールを蹴り出すため、反応できない。インを使うとき、アウトの足はボールの後ろで準備しておくとスムーズにできることを教えよう。

声かけ：スピードアップ！

POINT 2 軽いステップワークで一気に加速させる

インを使った後、左足が重くならないように注意。右足アウトで蹴り出すときには左足で地面を蹴って、加速に入らせる。

押さえておきたいポイント！

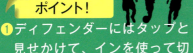

1. ディフェンダーにはタップと見せかけて、インを使って切り返し
2. アウトで蹴り出すときには、軽いステップワークで加速し始めている

うまくいかないときの 1POINTアドバイス

軸足と蹴り足をはっきりさせると、軸足が地面から離れにくい。ステップワークの要領で、軽やかに軸足と蹴り足を入れ替えさせる

コツ24 Part2 ドリブルと身体操作を覚える
アウトアウト〜シザース

アウトで加速すると見せかけて留まったり切り返しを教える

POINT 1 「行くぞ」「仕掛けるぞ」という気持ちを持たせる

声かけ ボールは足元に！

アウトでタッチを繰り返すときに、「行くぞ」という気持ちをいかに見せられるか。この「演技」ができているかを見てあげよう。

POINT 3 ボールの上をまたぐと時間がかかる

シザースの足はボールの前を低く鋭く動かす。ボールの上をまたいでしまうと、足が移動する距離が長くなってしまうため、時間がかかりフェイントとしての効果は半減することを教えよう。

この練習のねらい

アウトで細かいタッチを繰り返すと、ディフェンダーは何かを仕掛けてくるなと警戒する。その瞬間に大きな動作のシザースを入れて、アウトで加速すると勘違いさせるボールフィーリングだ。ディフェンダーの重心はかかとに乗り、お互いの間にスペースができる。これを利用して、次のプレーまでの間をとったり、切り返したりさせよう。

POINT 2 ボールの前から足を通すように動かすよう教える

アウトでボールを蹴り出して、一気に加速するつもりでシザース。足はボールの前を通すように教えてあげる。

声かけ　足の動きをすばやく！

押さえておきたいポイント！
① アウトのタッチのときに「仕掛けるぞ」と思わせる
② シザースは大げさなくらいでいいが、足を通すのはボールの上ではなく前から

うまくいかないときの 1POINT アドバイス

シザースをするときにボールが勢いよく転がっていると、足に当たりやすい。最後のアウトで転がるスピードを調整させよう

コツ25 Part2 ドリブルと身体操作を覚える
ステップオーバー

ボールを触らずまたぐ動きを身につけさせる

POINT 1 「右へ行くぞ」を思わせ誘えているかをチェック

【声かけ】本気で右へ抜くつもりで！

成功のカギは本気で「右へ行くぞ」と思わせること。ディフェンダーが引っかかるくらいリアルにできているかをチェックしてあげる。

POINT 3 足がクロスしたままだと接触したときに危険

軸足が地面から離れないまま、クロスオーバーした足がクロスしていると、タックルされたときに軸足の逃げ場所がない。ヒザや足首をケガするリスクが高くなってしまうことを教えよう。

52

この練習のねらい

足の裏でロールすると見せかけておいて、ボールには触らずにまたぐ。ディフェンダーがこの動作につられて後ろ重心になったら、逆へすばやく切り返せば、突破したりパスコースを作ったりできる。足を振るというよりも、ボールの上を跳び越えるようなイメージでやらせると、ステップオーバーした足でストップしやすい。

POINT 2 ディフェンダーがつられたら左へ切り返して突破させる

声かけ：またいだ後はすばやく！

ステップオーバーした足が着くと同時に軸足を抜いて引き寄せる。ディフェンダーがつられていれば、すぐに左へ突破できると教える。

押さえておきたいポイント！

① またぐ前から、「そちらへ行くぞ」と思わせることが成功のカギ
② 足を振ると1歩で止まるのが難しくなる。ボールを跳び越えるつもりでまたがせよう

さらなるレベルアップのコツ

ボールをまたぐときに、上体をフェイントする方向へ振ったり、顔を向けたり、目で見たりするとよりリアルな動作になる。

コツ 26 Part2 ドリブルと身体操作を覚える

カニ歩き（ダブルタッチ）

2回連続のインサイドタッチで相手の足のかわし方を教える

POINT 1　ヒザを軽く曲げ腰を落として構えさせる

声かけ　力を抜いてリラックス！

股下にボールを置いて準備。ヒザを軽く曲げて、腰を落としていつでも動ける、いつでも蹴れるという姿勢で構えさせる。

POINT 3　ヒザが伸びてしまうと柔らかさがなくなる

ヒザが伸びていると棒立ちの状態になってしまい、柔らかいボールタッチはできないことを教えよう。ヒザが伸びているということは瞬発力を発揮できないということなので、反射的にすばやく動くこともできない。

この練習のねらい

両足のインサイドで2回連続してタッチすることを「ダブルタッチ」という。ディフェンダーが足を出してきた瞬間に使えば、一気に抜くことも可能なテクニックだ。これを横移動しながら練習させよう。最初のタッチは反対の足に向かって蹴るイメージ、2回目のタッチはボールを止めるイメージでやらせるとうまくいく。

POINT 2 インサイドで蹴って反対の足で止めさせる

声かけ：その場にボールを止めて！

最初のインサイドで反対の足に蹴る。次のタッチはボールを止めるというイメージでやらせる。ボールが動いた分だけ横移動する。

押さえておきたいポイント！

1. 1回目と2回目のタッチは間が空かないように、連続して一気にやらせる
2. 2回目のインサイドタッチでボールを止めるようなイメージ

さらなるレベルアップのコツ

ダブルタッチし終わったボールをもう一度最初にタッチした足の裏で止める、という3連続タッチでやらせてみよう。

コツ 27 Part2 ドリブルと身体操作を覚える
アウトサイドターン〜インサイドターン

小回りの利いた鋭いターンを教える

POINT 1 ディフェンダーをイメージしてやらせる

声かけ 遠い足を意識して！

ディフェンダーから遠い方の足を使うのが基本。ディフェンダーとボールの間に体を入れるイメージで練習させる。

押さえておきたいポイント！

① ターンを使えば、自分が有利な位置にボールを運んで、安全にキープできる
② ディフェンダーとの間に体と軸足を入れれば触られない

うまくいかないときの 1POINTアドバイス

ターンの最中にボールはあまり動かさなくてもいい。ボールではなく軸足の位置を動かしてターンさせるとうまくいく。

この練習のねらい

様々なターンができると、選手が密集したところから広いスペースへボールを運んで、安全にボールをキープできる。またディフェンダーを抜ききれなかったときなど、仕切り直したいときにも有効。アウトサイドターンとインサイドターンを使い分けて、ディフェンダーとの間に体を入れれば、ボールに触られる危険は低くなる。

POINT 2 「止める」「方向を変える」 2タッチでアウトサイドターン

最初のタッチで「止める」。次で「方向を変える」。この2タッチでターンを終わらせる。タッチが多くなるほど時間がかかってしまう。

声かけ 体の向きをすばやく変えて！

Part 3

サッカーの基礎
パス&コントロールを覚える

ボールを蹴りパスを出し、そのボールを止める。
パス&コントロールこそサッカーの基礎でとても大事な技術だ。
正確なテクニックを身につけさせるために
様々なシチュエーションでのパス&コントロールを練習させよう。
ただ蹴る、ただ止めるだけでなく、多くのポイントを学ばせたい。

基本のパス&コントロールで身につくこと

コツ28	無重力トラップ	▶ ボールを吸収できるトラップ技術	p60
コツ29	無重力トラップ〜ターン	▶ トラップからターンの連続動作	p62
コツ30	ボールをもらいに動いてトラップ	▶ 受けにいくトラップ動作	p64
コツ31	パス&ゴー	▶ パス出しからの動き出し技術	p66
コツ32	トラップしたらワンステップでパス	▶ 動きを止めずにパス&コントロール	p68

実戦的なパス&コントロールで身につくこと

コツ33	ダイヤモンド型パス&コントロール①	▶ 攻撃方向を意識したテクニック	p70
コツ34	ダイヤモンド型パス&コントロール②	▶ 周囲の状況を確認できる技術	p72
コツ35	ダイヤモンド型パス&コントロール③	▶ プレー選択の判断力	p74
コツ36	ダイヤモンド型パス&コントロール④	▶ パスのタイミング	p76
コツ37	サッカーテニス	▶ チームメイトとのコンビネーション	p78

コツ 28 Part3 サッカーの基礎パス&コントロールを覚える
無重力トラップ

ボールの勢いを消すため軸足を浮かせることを教える

POINT 1 体はリラックスするように教える

声かけ：リラックス！

パスを受けるときはその場で止まるように教えよう。体の力を抜いて、トラップする足を引けばボールを吸収できる。

POINT 3 体全体が固く力むとミスする

「止めよう」と意識するほど力みやすい。そうすると足が壁のようになってしまい、ボールの勢いを吸収できずに、弾んでコントロールを失うことを教えてあげる。ボールを弾ませないように注意させよう。

この練習の ねらい

トラップの直前に軽くジャンプして、軸足を浮かせると、自然に力みが抜けるため、強いパスでも足元で正確にコントロールできるようになることを教えよう。軸足を踏み込んでしまうと固くなる。壁にボールが当たれば弾き返されるが、カーテンに当たったボールは真下にポトリと落ちる。これと同じ原理だということを教える。

POINT 2 トラップの直前に軽くジャンプさせる

声かけ　ハイ、ジャンプ！

トラップの直前に軽くジャンプする。軸足を浮かせると、簡単に足元でコントロールできる。最初はタイミングを教えてあげよう。

押さえておきたいポイント！

① 軸足を浮かせてトラップすれば、自然に力が抜ける
② 軸足を地面に付けておくのも間違いではない。状況に応じて使い分けられるのが理想だ

さらなるレベルアップのコツ

ロングパスなど、高くて強い浮き球にも活用できる。スペースに走り込んでジャンピングトラップすればチャンスになる。

コツ 29 Part3 サッカーの基礎パス＆コントロールを覚える

無重力トラップ〜ターン

トラップしながらターンすれば前を向けることを教える

POINT 1 体を反転させながら空中でトラップさせる

声かけ：体を半身に！

軽く跳び上がり、空中で体を反転させる。そこにボールが入ってくるというタイミングがベスト。空中でバランスを崩さないように。

POINT 3 トラップしてからのターンでは時間がかかる

トラップして正確に足元に置くことを覚える段階の初心者は、まずボールを止めて、それからターンをしても間違いではないが時間がかかる。レベルが上がると、これでは通用しなくなることを伝えよう。

NG

この練習の ねらい

トラップしてから自分の背中側に向かいたいとき、無重力トラップとターンを一緒にやってしまえばプレーの質は格段にレベルアップすることを教えよう。試合ではディフェンダーがついてきているのにターンをすればボールを奪われてしまうので、事前に状況を確認しておく必要性を伝える。コツ33からこの練習法を紹介している。

POINT 2 ワンタッチでドリブルを開始させる

着地したときにはすでに体は横を向いているため、トラップした後の次のワンタッチでドリブルを開始できることを理解させる。

声かけ　ワンタッチでスタート！

押さえておきたいポイント！

① ジャンプ、ターン、トラップを同時に行うため、難易度は高い
② 試合では事前に自分の後方にディフェンダーがついていないことを確認しておく

さらなるレベルアップのコツ

着地した足でしっかりとバランスが取れれば、両足を地面につけなくても、ドリブルが始められて、さらにスピードアップできる。

コツ30 Part3 サッカーの基礎パス＆コントロールを覚える
ボールをもらいに動いてトラップ

トラップした足を次に踏み出す
1歩目にすることを教える

POINT 1 ボールを上面から押さえさせる

トラップするのは体より前。足を出してボールを上面から押さえるようにトラップさせれば、弾んでしまうのを避けられると教えよう。

声かけ 前でコントロール！

POINT 3 懐深くだと次の動作に時間がかかることを伝える

状況によっては懐深くまで呼び込んでボールをトラップしても間違いではない。しかし、そのまま前にドリブルしたいような状況のときには、懐深くだと余計な時間がかかってしまうことを伝えよう。

NG

この練習のねらい

パスを受けるために動いたものの、背後からディフェンダーがついてきているため、ターンはできない。そこでトラップしたら、パスが来た方向へそのままドリブルしようと考える、ということが前提。ボールを迎えに行ったら、体の前方でトラップ。その足を1歩目として踏み出すように教えると、スムーズにつなげられる。

POINT 2 トラップした足でそのまま加速させる

トラップした足が着地したら、その足で地面を蹴って加速する。これなら1歩目が早く、ディフェンダーとの競争になったときに強い。

声かけ：1歩目から加速しよう！

押さえておきたいポイント！

① 背後からディフェンダーがついてきていて、ターンできないときは体の前でトラップする
② トラップしたボールが弾まないように上から押さえる

さらなるレベルアップのコツ

ボールが動いていると、トラップしたボールが弾んでしまいやすい。そんなときは、まずはボールを止めて練習させてみよう。

Part3 サッカーの基礎パス&コントロールを覚える

コツ31 パス&ゴー

蹴り足が1歩目になる走りながらのパスを教える

POINT 1 ワンタッチでパスを返すことを想定させる

パスをもらおうと動いたときに、トラップするよりもワンタッチで返す、という場面を想定させながら教えよう。

声かけ スムーズなプレーを心がけて！

POINT 3 蹴って動きを止めたら遅くなることを教える

軸足に乗って蹴っているため、重心は後ろに残っている。ワンタッチパスで動きを止めたら、プレーが遅くなることを教えよう。もちろん初心者がワンタッチパスを覚えるときには間違いではない。

この練習のねらい

パスを出したら、次のプレーのために走る。これを「パス&ゴー」といって、選手同士の連動が大切なサッカーの基本となる。先を考えたプレーをするためにも大切だ。このときボールを蹴った足を、そのまま前に着地させて走り出すように教えよう。パスをした足を引いて、それからもう一度走り出すよりも、1歩目がずっと早くなる。

POINT 2 走りながら蹴る動きを身につけさせる

声かけ：走りながら蹴ろう！

蹴った足を戻さず、そのまま前に出す。パスをするときは止まるという段階は早めに卒業。走りながら蹴ることを身につけさせる。

押さえておきたいポイント！

❶ パス&ゴーはサッカーの基本で、選手の連動性を高めるためにも大切なこと
❷ 蹴り足と走り出しの1歩を一緒にすると早い

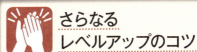

さらなるレベルアップのコツ

最初にパスを習うときに軸足でしっかり立ってと教わるが、ここではむしろ軸足を抜いて蹴るというイメージでやらせてみよう。

コツ 32 Part3 サッカーの基礎パス&コントロールを覚える
トラップしたらワンステップでパス

「ワンタッチでパス」ではなく「ワンステップでパス」と教える

POINT 1 トラップしたボールをどこに止めるかを考えさせる

声かけ 蹴りやすいところに止めよう！

トラップしたボールは、ワンステップで蹴られるところに止めようと考えさせる。自然にトラップを丁寧にやろうという意識になる。

 POINT 3 ワンステップで蹴れないのはトラップが大きいから

トラップしてから何歩でも動いていいのなら、トラップが大きくなってしまってもボールは蹴れる。「ワンステップ」という縛りがあるから、原因がトラップの失敗にあると気づくことができるのだ。

この練習のねらい

すぐにパスを出して欲しいとき「トラップしたらワンタッチでパスしよう」と言うと、トラップしてから何歩進もうと、次のタッチでパスをすればいいということになる。これでは言いたいことの真意は伝わってない。そこで「ワンステップでパスしよう」と言い換えれば正確に伝わる。教える人は言葉の選び方まで気を配りたい。

POINT 2 次のワンステップでパスを出させる

声かけ: 止めてからすばやく！

トラップしたボールは、蹴り足の少し前に止める。うまくコントロールできれば、次のワンステップでパスを出せることを伝えよう。

押さえておきたいポイント！

① 「ワンステップでパスする」と言うと、トラップのことまで考えさせられる
② トラップの前に次のプレーを考える習慣をつけさせる

さらなるレベルアップのコツ

トラップとは反対の足で蹴りたいなら、ボールをどこに置けばいいか。インステップなら？アウトサイドなら？いろいろ考えさせよう。

コツ **33** Part3 サッカーの基礎パス&コントロールを覚える
ダイヤモンド型パス&コントロール①

パス&コントロールを
総合的に学べる練習法

押さえておきたいポイント！

❶ ここでのトラップは、コツ29「無重力トラップ〜ターン」でやったもの。
❷ パス出しのタイミングはお互いに声を出して知らせる。

さらなるレベルアップのコツ

軸足を抜いてトラップできているか。トラップしたらワンステップで蹴れているか。チェックするところは多い。

この練習のねらい

パスとコントロールを総合的に身につける練習法だ。1本のパスには、出し手と受け手、そしてそれぞれについているディフェンダーが関わっている。受け手が自分の周りの状況を把握しておくのはもちろんだが、出し手もそれを理解してパスしなければミスにつながってしまう。ただやるだけでなく、意味を理解させることが大切だ。

POINT 1 頂点でトラップできるタイミングでパスを出させる

選手はダイヤモンドの対角線上に並ばせる。受け手は辺に沿って走り、出し手は受け手が頂点でトラップできるようにパスを出す。

声かけ　タイミングを見て！

POINT 2 ボールを受けながら攻撃方向へターンさせる

受け手はターンして攻撃方向を向きながら、外側の足のインサイドでトラップする。続けてパスを前に出して、反対側を繰り返し行う。

声かけ　攻撃方向を意識して！

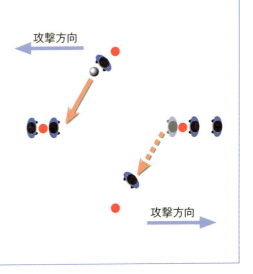

コツ 34 Part3 サッカーの基礎パス&コントロールを覚える
ダイヤモンド型パス&コントロール②

首を2回振って背後の状況を確認させる

押さえておきたいポイント！

① 走っていると見られない背後の状況を、ボールをもらう前に2回確認させる
② 振り返るときにステップを使いわける

うまくいかないときの 1POINT アドバイス

ゆっくりでいいので、正確に、考えながらやらせる。練習なので、やっていることの意味を理解して、それを習慣にすることが大切だ。

この練習のねらい

パスの受け手は後ろを向いているため攻撃方向が見えない。そこでパスをもらう前に、自分の背後を必ず確認させる。またこのときステップワークを使い分けられるようにさせる。もし後ろからディフェンダーがついてきているのに、ターンしてしまえば、ディフェンダーの目の前でトラップするので簡単に奪われることを理解させよう。

POINT 1 背後を2回振り返って自分の目で見る

声かけ：首を振って！

ボールを受けるために動く選手は、走っている間に、背後を2回振り返るようにさせたい。1回目はちらりと、2回目はしっかり見て味方の動きや周囲の状況を把握するための最終確認をする。

POINT 2 1回目は半身になってクロスステップを使わせる

声かけ：クロスステップで！

パスを受けるために動くとき、その選手は1回目は軽く見ればいいので、腰をひねって半身になるくらいの姿勢を保ったままステップを踏ませると良い。このときは両足が交差するクロスステップを使わせるといい。

POINT 3 しっかり見る2回目はサイドステップを教える

声かけ：サイドステップで！

最終的にボールを受ける前にするステップはサイドステップ。サイドステップを使えば、背後全体を広く見ることができる。2回目に見るときは、最終確認のつもりでしっかり見させることを大事にしよう。

コツ 35 Part3 サッカーの基礎パス&コントロールを覚える

ダイヤモンド型パス&コントロール③

ディフェンダーの状況次第でプレーを変えることを教える

POINT 1 遠い方の足で止めることが基本だと教える

声かけ　攻撃方向を向こう！

ディフェンダーがついて来ないなら、これまでと同じように攻撃方向へターンしてトラップする。基本的には遠い方の足で止めさせる。

DF役　攻撃方向

押さえておきたいポイント！

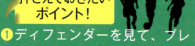

❶ ディフェンダーを見て、プレーを変化させる
❷ ディフェンダーをつけて繰り返し練習すれば、パスミス、トラップミス、パスカットが減る

うまくいかないときの 1POINT アドバイス

ディフェンダーは本気でボールを奪おうとしているわけではない。ディフェンダーがいないときのように慌てず、丁寧にやらせる。

この練習のねらい

コツ33と34で基本的な動きは身につけることができた。次の段階として、実際にディフェンダーをつけて、ターンする後ろについたり、離れたりして、それによってプレーを変えさせる。ここまでできるようになると、ディフェンダーが来なければ前を向けるし、ついて来ているなら、リターンパスから裏を狙えるようになる。

POINT 2 相手がいるならリターンパスさせる

振り向いたときにディフェンダーが来ているのが見えたら、リターンパスをする。裏を狙わせるところまでやらせよう。

声かけ　状況でプレーを変えて！

POINT 3 周りを見ていることを確認しながら繰り返す

ディフェンダーがボールを奪いに行ったり、行かなかったりしながら繰り返すことで、より実戦的な練習になる。事前にしっかり見ていることをチェック。

声かけ　見てプレーを判断しよう！

コツ 36 Part3 サッカーの基礎パス＆コントロールを覚える
ダイヤモンド型パス＆コントロール④
受け手のことを考えたパスのタイミングを教える

POINT 1 パスのタイミングはやや遅いくらいでいい

声かけ：味方の動きを見てパス！

受け手がターンをして体勢が整うくらいの遅めのタイミングでパスを出させる。準備が整っていないのにパスするとミスになりやすい。

POINT 3 味方にメッセージを伝えるパスを出させる

出し手からはディフェンダーが見える。パスをどこに出すかによって、受け手にどんなプレーをしてもらいたいのか伝えることができる。これを「メッセージ性のあるパス」ということがある。

DF役

この練習のねらい

受け手ほど多くはないが、パスの出し手にもいくつかポイントがある。大事なのは受け手の気持ちを考えて、やさしいパスを出させること。出し手と受け手で意識を統一できれば、連携はどんどん高められる。出し手からはディフェンダーの動きが見えているので、実戦ではもし危なければ出さないという選択肢ももちろんある。

POINT 2 ターンしたときの足元に出させる

声かけ：遠い足につける！

ディフェンダーがついていなければ、ターンをしたときの足元に出させる。強さや角度を考えたパスを出せるといい。

押さえておきたいポイント！

① パスの出し手は受け手のことを考えたやさしいパスを出す
② ディフェンダーがついていなければターンをしたときの足元。ついていればリターンパスまで考えて出す。

さらなるレベルアップのコツ

受け手がディフェンダーのことを気づいているか、気づいていないかまでわかるようになれば、すばらしい。

コツ 37 Part3 サッカーの基礎パス＆コントロールを覚える
サッカーテニス

サッカーテニスで協力することを覚えさせる

押さえておきたいポイント！

① チーム競技だからこそ、対戦型ではなく、協力型のルールでサッカーテニスをやらせたい
② サッカーテニスのバリエーションは無数に考えられる

うまくいかないときの 1POINTアドバイス

能力に差があるときは、苦手な人はワンバウンド、得意な人はノーバウンドというようなハンディキャップをつけてみよう。

78

この練習のねらい

サッカーテニスというと、相手の嫌なところに蹴る対戦型が一般的。でもサッカーの競技性を考えると、2人で協力してノーミスでできた回数を競うルールにした方がいい。ライナー性ではなくて、山なりの柔らかいボールで、蹴りやすいヒザ下の高さになるように、といったことを教えたい。自由にルール設定できるのも好都合だ。

POINT 1　初心者はワンバウンドから始めさせる

声かけ「ボールをよく見てタッチ！」

ノーバウンドで返すのが難しい初心者やリフティングが苦手な人は、ワンバウンドまではOKというルールでやらせてみる。パスの軌道は低く弱めでいい。たくさん回数ができるようになると楽しさが増す。

POINT 2　ワントラップさせてリフティングの要素を追加

声かけ「しっかりコントロール！」

返ってきたボールをワントラップしてから再び返すというルールにすると、リフティングの要素を取り入れられる。パスが横に逸れたときに、自分のコントロールしやすいところへ移動させられるので、これも回数を増やせる。

POINT 3　ヘディングにも挑戦させよう

声かけ「ボールから目を離さないで！」

回数をたくさんやるのは難しいかもしれないが、時間があればヘディングにもチャレンジさせてみよう。キックでサッカーテニスをやるときよりも、ヘディングではお互いの距離を近づけるとやりやすいと教える。

Part 4

1対1のテクニックを覚える

個人でボールを扱うテクニックを練習したら、
次は相手ディフェンダーとの対人練習をさせよう。
1対1の場面でドリブル突破ができるようになれば
試合で活躍すること間違いなし。
ドリブルでの仕掛けのテクニックや状況判断力を身につけさせる。

1対1のドリブル突破法で身につくこと

コツ38	相手が正面にいるときの仕掛け	▶ 相手との間合いと駆け引きのコツ	p82
コツ39	相手が横にいるときのドリブル	▶ ボールキープの方法	p84
コツ40	サイドからの仕掛け①縦へ突破	▶ 突破のねらいとスピードの緩急	p86
コツ41	サイドからの仕掛け②カットイン	▶ ゴールへ向かう突破方法	p88

1対1のトレーニングで身につくこと

| コツ42 | 1対1の練習①ドリブル突破 | ▶ 状況に合わせた突破テクニック | p90 |
| コツ43 | 1対1の練習②ルーズボールスタート | ▶ 相手を背負った状態での技術 | p92 |

コツ 38 Part4 1対1のテクニックを覚える

相手が正面にいるときの仕掛け

間合いを詰めて駆け引きをし仕掛けまでのコツを教える

POINT 1 ディフェンダーを見ながら間合いを詰めさせる

声かけ 顔を下げすぎない！

ディフェンダーとの距離はまだ遠い。間合いを詰めていくときにディフェンダーのことをよく観察。実戦では周囲の状況も見させる。

間合い

DF役

押さえておきたいポイント！

❶ 自分にとって、ディフェンダーにとって、どのくらいの間合いが仕掛ける距離なのか考えさせる
❷ ディフェンダーと周囲の状況をよく見る

うまくいかないときの **1POINT アドバイス**

近づきすぎると、ディフェンダーに足を出されてボールにひっかけられる。これは間合いをつかみ切れていないのが原因だ。

82

この練習のねらい

1対1はドリブルのテクニックやステップワークがうまければ勝てる、というほど単純なものではない。ディフェンダーとの間合いを詰めるときから勝負は始まっていて、そこから駆け引きをして、ディフェンダーの弱点が見えたところで一気に仕掛ける。このタイミングと距離感を覚えさせることから始めよう。

POINT 2 緩急などで駆け引きでのゆさぶりを教える

ディフェンダーが1足分前に出るとボールに触れるくらいの距離まで近づいたら、緩急やフェイントでゆさぶりをかけさせる。

声かけ： 逆を取って！

POINT 3 バランスを崩した瞬間を見逃さないように

フェイントに引っかかってディフェンダーがバランスを崩した。この瞬間を見逃さないで、一気にスピードアップして勝負させる。

声かけ： スピードアップ！

コツ 39 Part4　1対1のテクニックを覚える
相手が横にいるときのドリブル
ボールを取られないよう体と足でボールを守らせる

POINT 1 ディフェンダーと反対の足でキープさせる

声かけ　遠い方の足でキープ！

ボールをキープするのはディフェンダーから遠い方の足が基本だ。近い方の足では簡単にボールに触られてしまうことを理解させる。

DF役

押さえておきたいポイント！

① ボールをキープするのは、ディフェンダーから遠い足で
② ディフェンダーに近い足をボールと相手の間に入れればブロックできる

さらなるレベルアップのコツ

足の速さに自信があるなら、横に並びさえすればスピードで振り切れる。そういうドリブルを追求させるのもいい。

この練習のねらい

駆け引きに勝って、もう少しでディフェンダーを抜けそうになった。しかしディフェンダーも簡単には諦めない。結果的に並走する形になる。このようなことは試合ではよくあること。お互いの距離は近く、キープの仕方を間違えると、ボールに触られてコントロールを失ってしまう。体と足を駆使してボールを守ることを教える。

POINT 2 ディフェンダーに近い足でボールをブロックさせる

ディフェンダーの体勢がよくて、足を出して来そうなときは、キープしているのとは逆の足（軸足）でボールをブロックさせよう。

声かけ：軸足でブロック！

POINT 3 強いボディバランスを身につけさせる

ディフェンダーはファールにならないように体をぶつけて奪おうとすることもある。普段からボディバランスを鍛えさせたい。

声かけ：バランスを保って！

コツ 40 Part4 1対1のテクニックを覚える
サイドからの仕掛け①縦へ突破
サイドを突破できれば
ビッグチャンスだと教える

POINT 1 間合いをはかりながらゆさぶりをかけさせる

声かけ：距離感に気をつけて！

ボールをキープしながら、自分にとって有利な間合いをはかる。近づきすぎると足を出されてしまうので、その前に仕掛けさせる。

サイドライン
攻撃方向
DF役

押さえておきたいポイント！

❶ ディフェンダーが内へのカットインを警戒しているときは、縦に突破しやすい
❷ フェイントで内側に重心が乗ったときが仕掛けるタイミング

うまくいかないときの 1POINTアドバイス

ディフェンダーにゆさぶりをかけるとき、コツ26のカニ歩きが有効だ。インサイドで細かくタッチするテクニックを磨かせよう。

この練習のねらい

ドリブルで仕掛ける方向は、基本的に縦か横だ。サイドラインを背中にしてボールをキープした状況は、このことを理解させるのに最適だ。縦へ突破しやすいのは、ディフェンダーが内側へのカットインを警戒して守っているとき。サイドを縦に突破することによって、ビッグチャンスになることも多いため積極的に仕掛けさせよう。

POINT 2 相手の体が内側を向いた瞬間を見ておくように教える

内へカットインするぞというフェイントを入れた瞬間、ディフェンダーの体が内側を向く。この瞬間を見逃さないように教えよう。

声かけ　相手の重心を見て！

POINT 3 スピードの緩急を使った突破を身につけさせる

ディフェンダーの反応が明らかに遅れれば、スペースに大きく運び出して一気に抜き去れる。スピードの緩急を使った突破を身につけさせよう。

声かけ　一気にスピードアップ！

コツ 41 Part4 1対1のテクニックを覚える
サイドからの仕掛け②カットイン

シュートを狙える武器
カットインを教える

POINT 1 自分の間合いを作る大切さを教える

声かけ 自分の距離感をつかもう！

仕掛けるのに最適な距離まで詰める。間合いが近すぎると足を出されるし、遠いと突破に反応されてしまうことを覚えさせる。

DF役

サイドライン

押さえておきたいポイント！
❶ 縦と横どちらへも仕掛けられるとディフェンダーは守りにくい
❷ 縦に突破するぞと見せかける、フェイントを入れる、などしてディフェンダーを惑わせる

さらなるレベルアップのコツ

実戦では目の前のディフェンダーだけではなくて、その先にスペースがあるかどうかも重要だということを理解させる。

この練習のねらい

縦と横のどちらへも仕掛けられるようになると、ディフェンダーにとって守りにくく怖い選手になれる。成功のカギは、いかに本気で縦へ突破するぞと見せかけられるか。次の瞬間に切り返して一気に中央に向かって突破する。ただし中央は他の選手がいることも多く、スペースがあるかどうかを見極める大切さも教えよう。

POINT 2 縦へ突破するぞというフェイントを入れさせる

ちょうどいい間合いになったとき、縦へ突破するぞというフェイントを入れる。このタイミングをつかませるのがポイントになる。

声かけ：仕掛けのタイミングを大切に！

POINT 3 ゴールに直結するプレーだと教えよう

ゴールの左右45度くらいの角度でカットインが成功すれば、そのままシュートを狙える。ゴールに直結する重要なプレーだと教えよう。

声かけ：常にゴールを意識して！

コツ 42　Part4　1対1のテクニックを覚える
1対1の練習①ドリブル突破

内へのカットインと縦への突破を学べる練習

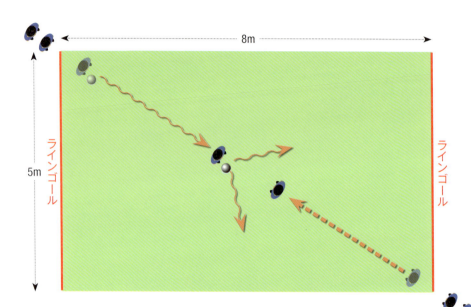

練習のやり方
ピッチの広さ：5m×8m
人数：2人
ボール：1個

手順
1人がボールを持ち、対角線上からスタートして1対1を行う。スタートした方と反対側の5mラインをドリブルで越えられたら成功。ボールが8mのラインを割ったら失敗。

> **この練習のねらい**
>
> ドリブルの1対1に必要な、様々な要素が詰まった練習法。お互い離れた位置からスタートするので、徐々に間合いを詰めていく感覚を養える。近づいてからはディフェンダーとの駆け引きがあり、さらにそこから内へのカットインか、縦への突破かという2つの1対1要素がある。これらを実戦的な形で再現できる。

POINT 1 間合いの詰め方からドリブル突破まで学べる

スタートは離れていて、そこからドリブルで近づいていく。ディフェンダーとの距離に応じた間合いの詰め方。ドリブル突破を学べる。

声かけ：相手の動きをよく見よう！

POINT 2 縦への突破と中央へのカットイン

対角線上からスタートするので、2人の位置関係は斜めになり、縦への突破か、中央へのカットインか、という形になる。

声かけ：ドリブルを判断して！

コツ 43　Part4　1対1のテクニックを覚える
1対1の練習②ルーズボールスタート

ディフェンダーを背負った形からの1対1を学べる練習

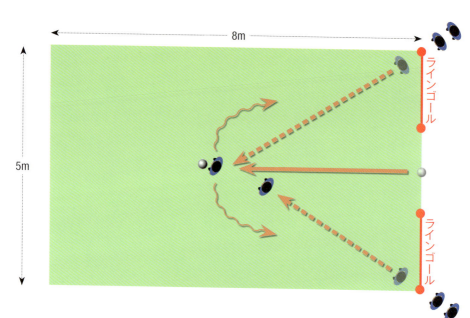

練習のやり方
ピッチの広さ：5m×8m
人数：2人
ボール：1個

手順
5mラインの両端から始める。5mラインの真ん中からボールを転がしてスタート。先に追いついた人がキープして、ゴールをドリブルで越えたら成功。8mのラインをボールが越えたら失敗。

この練習のねらい

向かい合う形の1対1の他に、ディフェンダーを背負った形になることがある。そういう状況で、バックパスを選択するのは安全で簡単だが、相手にとってはまったく怖くない。嫌なのは自分でターンができて、前を向いて勝負してくる選手だ。ルーズボールからの1対1ではターンをしてからのドリブル突破を学ぶことができる練習だ。

POINT 1 ディフェンダーを背負った形を設定する

ルーズボールでスタートするので、ボールをキープしたときにはディフェンダーを背負った形になる。その状況を設定し1対1をさせる。

声かけ：体を入れてマイボールに！

POINT 2 ターンで前を向くプレーを身につけさせる

ゴールは背中側にあるので、ターンをしなければドリブルできない。右へ行くふりをして左、その逆などのターンを身につけさせよう。

声かけ：相手を背中で感じながらターン！

Part 5

シュートテクニックを覚える

サッカーはゴールを決めるのが目的だ。
試合で得点を量産できる選手になるためにも、
シュートテクニックを身につけさせよう。
現代サッカーに必要なシュートテクニックと
状況別の練習法でゴールゲッターにさせよう。

シュートテクニックで身につくこと

コツ44	軸足のポイント	▶ シュート時の軸足の使い方	p96
コツ45	蹴り足のポイント	▶ シュート時の蹴り足の使い方	p98
コツ46	フォーム全体のポイント	▶ パワーのあるシュートフォーム	p100
コツ47	横からのボールをボレーシュート	▶ サイドボレーの打ち方	p102
コツ48	後ろからのボレーシュート	▶ 縦ボレーの打ち方	p104

シュート練習で身につくこと

シュートがうまくなる練習法①	▶ 動きながらのシュートテクニック	p106
シュートがうまくなる練習法②	▶ ドリブルしてからのシュートテクニック	p108
シュートがうまくなる練習法③	▶ スローインとボレーのテクニック	p110

Part5 シュートテクニックを覚える

軸足のポイント

蹴った直後に軸足は
地面から抜くよう伝える

POINT 1 ボールから少し離して軸足を置くように教える

声かけ ボールに合わせよう！

軸足は蹴り足の邪魔にならないように、ボールから少し離して横に置くよう伝える。動いているボールの場合、スピードに合わせる。

POINT 3 軸足で踏ん張ると力がボールに伝わり切らない

軸足で踏ん張ると、パワーが内側に閉じ込もる状態になり、ボールにはパワーが伝わりにくい。一昔前までのテクニックとしてはこれが正解で、絶対にダメというものではないが、現代ではオススメできない。

96

この練習の**ねらい**
一昔前までは軸足でしっかりと立って、ボールを蹴ってからもバランスを崩さないようにしなさい、と教えることが多かった。しかし近年は蹴ったら「軸足を抜く」という考え方が主流になってきている。いくつか理由があるが、一番はボールに力が伝わりやすいから。またこれは軸足にタックルを受けたときのケガの防止にもなる。

POINT 2 「軸足を抜く」という使い方を身につけさせる

声かけ 空中でバランスをとって！

ボールを蹴った後「軸足を抜く」と体は空中に浮く。蹴り足を振り切り、軸足で踏ん張らないと教えれば徐々にできるようになる。

押さえておきたいポイント！

① 蹴った直後に「軸足を抜く」とボールにパワーが伝わりやすい。現在の主流の蹴り方。
② 軸足にタックルを受けたときのケガ防止になる。

うまくいかないときの 1POINTアドバイス

蹴り足を止めようとしないで、振り切ってみなさい。そして蹴ったら、その足で着地しなさい、と教えてみよう。

コツ 45 Part5 シュートテクニックを覚える
蹴り足のポイント

蹴った直後にパワーを解放するイメージと伝える

POINT 1 インステップで真ん中を蹴らせる

強いシュートは、インステップでボールの真ん中を蹴る。繰り返し練習し、動いているボールでもしっかり当てられるようにさせる。

声かけ インパクトに集中して！

POINT 3 腰が落ちると力が入らず強いボールは蹴れない

インパクトの瞬間は頭から蹴り足の先まで1本の芯が通ったようになっているかチェックする。腰が落ちて、体が「く」の字になってしまうと、力がボールに伝わらずパワフルなシュートにはなりにくいことを伝えよう。

NG

この練習の ねらい

骨格や筋肉が未熟なジュニア世代は、強いボールを蹴るのは難しいと考えがちだが、ポイントを押さえればできる。まずはボールの真ん中をインステップでしっかりと蹴らせること。そして蹴った直後にパワーを解放すること。蹴り足を止めることを考えると、パワーを出し切れない。足が振り切れているかをチェックしてあげよう。

POINT 2 パワーを解放すると全身のパワーをぶつけられる

ボールを蹴ったら、その力を解放させる。「軸足を抜く」とも関係するが、これが全身のパワーをボールに伝えるコツだ。

声かけ 足を振り切ろう！

押さえておきたいポイント！

① 強いボールは、全身を使って蹴るもの
② 動いているボールでも、ボールの真ん中を蹴れるように、繰り返しシュート練習をさせる

うまくいかないときの 1POINTアドバイス

転がっているとうまく蹴れないようなら、止まっているボールを蹴ることからやらせてみる。これならインステップに当てやすい。

コツ 46　Part5　シュートテクニックを覚える
フォーム全体のポイント

バランスの取れたフォームが
パワーの原動力だと教える

POINT 1　両手を大きく振ればバランスを取りやすい

歩くとき右足が前に出ると左手が前に出るように、左右の手と足がお互いに連動すると、バランスが取りやすい。シュートも同じだ。

声かけ　両手を意識して使おう！

POINT 3　上体をかぶせるとボールが浮かないはウソ

上体をかぶせるようにしてシュートを打てばボールが浮かない、というのは間違いだと伝えよう。一見すると力強く蹴っているようにみえるが、実際は窮屈で力が入らないし、「良いところがないんだよ」と教えよう。

この練習の ねらい

ボールを蹴るのは足だが、その他の部分も重要な役割を持っている。それを理解させることで、体の使い方がうまくなり、フォームそのものがよくなる。まず両腕を蹴り足の動きとは逆向きに振って、上体と下半身のバランスをとらせる。またインパクトの瞬間、腹筋を締めさせると、キックにパワーが生まれる。

POINT 2 蹴る瞬間に腹筋を締めて上体はかぶせない

蹴る瞬間に腹筋を締めると、自然に足にもパワーが生まれ、それがボールに伝わる。このとき上体はかぶせすぎないようにさせる。

声かけ　上体は自然体にしよう！

押さえておきたいポイント！

① 両手と両足は連動していることを理解させる
② 体の構造がわかって、使い方を意識すれば、自然に良いフォームで強いシュートが打てる

うまくいかないときの 1POINT アドバイス

筋肉をつけるトレーニングよりも、体幹トレーニングを意識して取り入れる。インパクトで体幹を締められるだけでずいぶん違ってくる。

コツ 47 Part5 シュートテクニックを覚える
横からのボールをボレーシュート
準備段階でかかとを
お尻に近づけると教える

POINT 1 しっかり上げてから足を振り始めさせる

声かけ：かかとを持ち上げて！

ボレーシュートが浮く最大の原因は、ボールの下から蹴っているから。足を振り始める前にかかとをお尻の近くまで持ち上げさせる。

POINT 3 低い位置で振り上げるとボールは浮いてしまう

かかとを十分に上げておかないと、低い位置から足を振り上げるようなボレーシュートになってしまう。これではボールはほとんどがゴールの枠の外に飛んで浮いてしまう。こうなる原因は準備ができていないことだと伝えよう。

この練習のねらい

実戦で止まっているボールをシュートするのは、ペナルティキックだけだ。コロコロと地面を転がっていることもまれで、ほとんどがバウンドしていたり、浮き球だったりする。それだけボレーシュートは重要なのだ。まずは横から飛んでくる浮き球を、ダイレクトでボレーシュートするときのポイントを教えよう。

POINT 2 「ボールに足を当てる」というつもりで蹴らせる

声かけ：ミートの意識で！

矛盾しているようだが、あまり「ボールを蹴ろう」と思わないこと。「ボールに足を当てる」という感覚でやらせてみよう。

押さえておきたいポイント！

① 横からのボレーは、十分にかかとを上げたところから振り始める
②「ボールを蹴る」のではなく「ボールに足を当てる」という感覚で蹴る

うまくいかないときの 1POINTアドバイス

浮き球が難しければ、その場で弾ませて、体の横でボレーするところから始めてみる。最初はバウンドもあまり高くなくていい。

コツ **48** Part5 シュートテクニックを覚える
後ろからのボレーシュート

ボールの落ち際で
ミートするように伝える

POINT 1 タイミングを合わせるためバウンドをよく見させる

声かけ「ボールの動きをよく見て！」

基本的にボールが落ちるときの方が合わせやすい。バウンドの高さ、角度などをよく見て、タイミングよく走り込むように教えよう。

POINT 3 ボールとの距離があるとミートできない

ボールの手前に軸足をセットしてしまうと、ボールを蹴り上げる形になるため、シュートは浮きやすくなってしまう。ボールがバウンドする角度、スピード、高さなどから推察して、どこに軸足を置くか考えさせる。

この練習のねらい

前や後ろからバウンドしてくるボールに合わせて、ボレーシュートするというケースも多い。例えばゴール前の混戦からこぼれてくるセカンドボール。または浮き球のスルーパスがディフェンダーの裏に通ったとき。どちらも絶好のチャンスなので、精度を高めておきたい。繰り返し練習して、身につけさせよう。

POINT 2 足の甲を遅らせ気味に出して蹴らせる

ヒザを先行させて振り始め、遅れて足の甲が出てくるイメージと伝えよう。うまく押さえられると、ドライブ回転のボールになる。

声かけ　上体はかぶせすぎない！

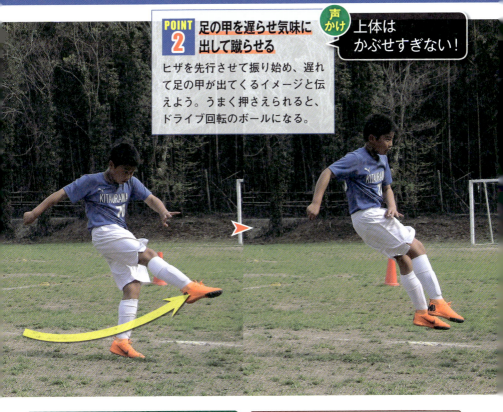

押さえておきたいポイント！

① 前や後ろからバウンドしてくるときのボレーシュートは、ビッグチャンスだ
② 足の甲を押し出すようなイメージでインパクトする

さらなるレベルアップのコツ

バウンドのいろいろなタイミングで蹴らせてみる。例えば地面に落ちる直前で蹴ると？または弾んだ直後に蹴ると？　違いを感じさせる。

Part5 シュートテクニックを覚える

シュートがうまくなる練習法①
長い距離を走ってから シュートを打たせる練習

練習のやり方	手順
ピッチの広さ：ゴール前 人数：2人 ボール：1個	選手はコーナーからスタート。パス出しをするコーチは、ゴールの45度くらいの位置に立つ。一旦コーチに預けてから、全力で走ってコーンを回る。コーチはタイミングよく横へ軽く出し、そこへ走り込んでシュートを打つ。

この練習のねらい

コーナーからコーンを回ってシュートエリアまで20～30mを全力で走ってからシュートを打たせる。こうすると試合中の足の状態に近くなる。疲労がたまった足でも、抑えた強いシュートが打てるようにするのが狙いだ。また何本も繰り返して行えば、心拍数も上がってくる。これも息が上がった状態を意図的に作れるので効果的だ。

POINT 1 パスを出させてから全力でコーンを回らせる

パスをして全力で走る。最後はコーンを急なカーブを描いて回る。これで試合中のように、走った後の足の状態に近くなる。

声かけ　パスして動こう！

POINT 2 浮かないように抑えたシュートを打たせる

走った後なので腰が落ちたり、足の振りが甘くなったりして、シュートが浮きやすい。抑えたシュートを打たせよう。

声かけ　ボールを抑えて！

Part5 シュートテクニックを覚える

シュートがうまくなる練習法②
ドリブルをしてからシュートを打つ練習法

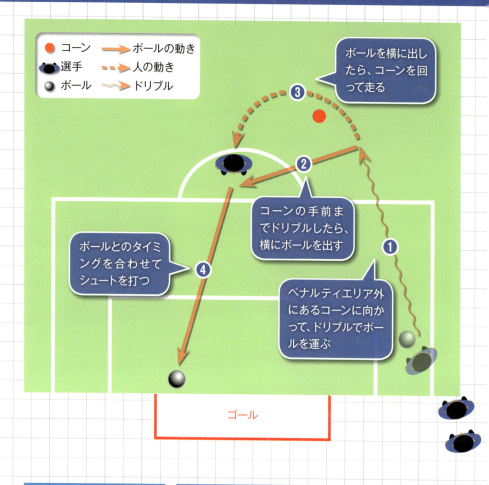

練習のやり方
ピッチの広さ：ゴール前
人数：1人
ボール：1個

手順
選手はコーナーからスタート。ゴールの45度くらいの位置にコーンを置いておく。コーンへ向かってドリブルで進み、コーンの手前で横へ軽く出す。そのままコーンを回ってから、走り込んでシュートを打つ。

この練習のねらい

実戦的なドリブルシュートを想定している。試合中にゴール正面からまっすぐドリブルをして、そのままシュート、ということはほとんどない。そこでまずゴールとは逆に向かってドリブル。自分で横に出してから、コーンをターンしてシュートを打つ。練習法①と同じで、繰り返せば試合中に近い心拍の状態の練習ができる。

POINT 1 ドリブルをしてコーンの手前まで進ませる

コーンへ向かってドリブル。数メートル手前まで来たところで、軽く横へ出す。走り込む位置を計算して、強さを調整させる。

声かけ　蹴りやすいところに出して！

POINT 2 コーンを回りながら歩幅を合わるように伝える

コーンを回りながら、ボールを目で追って、距離を測っておく。最後に歩幅を合わせながら走り込んでシュートを打つ。

声かけ　しっかりタイミングを合わせて！

Part5 シュートテクニックを覚える

シュートがうまくなる練習法③
スローインとボレーを取り入れたシュート練習

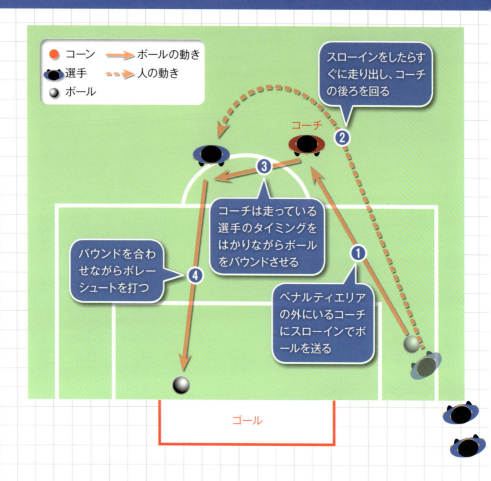

練習のやり方
ピッチの広さ：ゴール前
人数：2人
ボール：1個

手順
コーナーからスタート。パス出しをするコーチは、ゴールの45度くらいの位置に立つ。スローインしたボールをコーチは手で取って、コーンを回るタイミングに合わせてバウンドで横へ。そこへ走り込んでボレーシュートを打つ。

この練習のねらい

コーチへのパス出しをスローインで行う。少し距離があるので、ノーバウンドで届かすことを目標にすれば、ロングスローや体幹のトレーニングにもなる。コーチはシュートエリアにボールをバウンドさせる。コーンを回ってから、ボレーシュート。ボールの弾ませ方を工夫することで、いろいろなパターンのボレーができる。

POINT 1 10m程度の距離をスローインで出させる

一度スローインでコーチに預ける。10m程度離れているので、ロングスローに近い。腹筋や背筋の体幹トレーニングにもなる。

声かけ 胸めがけて投げよう！

POINT 2 バウンドしたボールをボレーさせる

コーチは選手が走り込むタイミングに合わせてバウンドさせて横へ出す。バウンドを工夫すればいろいろなボレーが練習できる。

声かけ タイミングが大事だよ！

Part 6

子どものやる気を引き出すアドバイス

子どもを教えるときに、どうしても上手くいかないことがある。
どうやって接したらいいのか、どう指導したらいいのか。
ここでは、子どもの指導を長年行ってきた監修者から、
指導者の心得、子どもへの接し方、子どものやる気を引き出す
方法などのアドバイスを紹介する。

サッカーを教えるときのコツとアドバイス

コツ49	教える人の責任	▶教える人には勉強する責任がある	p114
コツ50	子どもの叱り方、ほめ方	▶叱りたいことがあったら20秒だけ我慢してみる	p115
コツ51	サッカー経験者が教えるときの注意点	▶経験者が教える昔の常識はもう古いかもしれない	p116
コツ52	子どもへの声かけ術	▶言いたいことの100分の1だけにする	p117
コツ53	あえて「反省禁止」にする	▶ミスをした子どもに追い打ちをかけない	p118
コツ54	練習できる子が伸びる	▶練習に使える時間には限りがある	p119
コツ55	思いがけない発想をほめる	▶子どもらしい思いつきは個性として伸ばす	p120
コツ56	達成感が子どもを伸ばす	▶できないことをやらせるよりできるレベル設定でやる	p121
コツ57	勝利にこだわりすぎない	▶目先の勝利よりも子どもの将来に責任を持つ	p122
コツ58	動画でプレーをチェックする	▶簡単に動画が撮れるのに利用しないのはもったいない	p123
コツ59	ルール設定を工夫する	▶じゃんけんの不確実さなどを利用してルールを決める	p124
コツ60	下手な子に勝たせる方法	▶「勝った」という喜びが子どものやる気を引き出す	p125

コツ 49 Part6 子どものやる気を引き出すアドバイス
教える人の責任

教える人には勉強する責任がある

教える側の心得

新しい知識や情報にはどん欲に！

サッカーとは直接関係ないが、食事や栄養、体の成長などについてもある程度の知識を知っておくべきだ

常に新しい知識を取り入れる

知らないことは罪ではない。しかしコーチのように子どもに影響を与える立場となると話は別だ。かつて、うさぎ跳びをすれば足腰が鍛えられると考えていたが、現在はヒザや腰のケガの原因になるのでやらない。いまうさぎ跳びをやらせるコーチはいないだろうが、これに限らず情報に疎いのは指導する者として失格だ。現状に満足せず、常に新しい知識を取り入れ、勉強し続ける責任がある。

114

コツ 50	Part6　子どものやる気を引き出すアドバイス
	子どもの叱り方、ほめ方

叱りたいことがあったら
20秒だけ我慢してみる

子どもへの接し方

ポイ… …ときは20秒我慢！
ポイ… …さなくらいほめる

とっさに沸い
つと収まると言
叱るとき、感情的にならないように、一
旦この20秒を我慢するということが必要
だ。本当に叱らなければいけないことなら、

…なってから
…りあとで落ち着いてから叱ればいいのだ。
こいいプレーをしたときには、すぐに大
げさなくらいにほめる。普段あまり活躍し
ない子がいいプレーをしたのならなおさら
だ。

115

コツ 51 Part6 子どものやる気を引き出すアドバイス

サッカー経験者が教えるときの注意点

経験者が教える昔の常識はもう古いかもしれない

戦術も技術も日進月歩

子どもの親も昔サッカーをやっていたというケースは多い。サッカー経験者だからこそ、自分の子どものプレーに口を出したくなるもの。でもそんなときこそちょっと気をつけて欲しい。自分はこうやって教わった、こうやってうまくなったというのは、あくまでも昔の話。サッカーは戦術も技術も日進月歩なのだ。ましてやコーチと親で言っていることが違う、となったら混乱するのは子どもたちだ。

最新のサッカーテクニックとは!?
（例）
今までは、
軸足でしっかり立ってボールを蹴る
▼現代は……
軸足は蹴った直後に踏ん張らずに抜く
「p96参照」

最新のサッカー上達のポイント!
今までは、
サッカーはサッカーをやってうまくなる
▼現代は……
様々な神経を太くすると自分の体を思い通りに動かせるようになる。そのため、サッカー以外の競技の動作も取り入れる
「Part1参照」

116

コツ **50** Part6 子どものやる気を引き出すアドバイス
子どもの叱り方、ほめ方

叱りたいことがあったら
20秒だけ我慢してみる

子どもへの接し方

ポイント❶ 叱りたいと思ったときは20秒我慢！
ポイント❷ いいプレーは大げさなくらいほめる

叱るときは冷静になってから

　とっさに沸いた怒りの感情は、20秒たつと収まると言われている。子どもたちを叱るとき、感情的にならないように、一旦この20秒を我慢するということが必要だ。本当に叱らなければいけないことなら、そのあとで落ち着いてから叱ればいいのだ。逆にいいプレーをしたときには、すぐに大げさなくらいにほめる。普段あまり活躍しない子がいいプレーをしたのならなおさらだ。

115

コツ 51 **Part6** 子どものやる気を引き出すアドバイス
サッカー経験者が教えるときの注意点

経験者が教える昔の常識はもう古いかもしれない

最新のサッカーテクニックとは!?
（例）
今までは、
**軸足でしっかり立って
ボールを蹴る**
▼現代は……
軸足は蹴った直後に踏ん張らずに抜く
「p96参照」

最新のサッカー上達のポイント!
今までは、
**サッカーはサッカーをやって
うまくなる**
▼現代は……
様々な神経を太くすると自分の体を思い通りに動かせるようになる。そのため、サッカー以外の競技の動作も取り入れる
「Part1参照」

戦術も技術も日進月歩

　子どもの親も昔サッカーをやっていたというケースは多い。サッカー経験者だからこそ、自分の子どものプレーに口を出したくなるもの。でもそんなときこそちょっと気をつけて欲しい。自分はこうやって教わった、こうやってうまくなったというのは、あくまでも昔の話。サッカーは戦術も技術も日進月歩なのだ。ましてやコーチと親で言っていることが違う、となったら混乱するのは子どもたちだ。

コツ 52　Part6　子どものやる気を引き出すアドバイス
子どもへの声かけ術

言いたいことの100分の1だけにする

ポイント❶ 言いたいことを全部言うと、子どもたちを混乱させることも
ポイント❷ 100のうち1つ言うくらいの気持ちで教える
ポイント❸ 結果的に子どもの個性を伸ばすことになる

子どもへの接し方

あれもこれも言わず1つだけにする

　実戦的な練習をしていると、気になること、言いたいことがたくさん出てくるもの。子どもに上手になって欲しいと思えばこそで、当然なのだが、それを全部言っていたら子どもたちは一度に処理できずに、混乱する。そこで言いたいことの100分の1だけ言うようにしてみよう。今日はここを見る、ここをチェックすると決めたら、他のことが気になっても目をつむる。コーチには忍耐力も必要だ。

コツ 53　Part6　子どものやる気を引き出すアドバイス

あえて「反省禁止」にする

ミスをした子どもに追い打ちをかけない

子どもへの接し方

試合で負けたときの切り替え法
① 反省禁止
② ミーティングなし
③ あえてよかったところを言う
④ 親も反省しない、させない

子どもから自信を奪わないように

　試合中に明らかなミスをして負けたとき、それを一番わかっているのは子どもだ。その子に追い打ちをかけるように、反省ミーティングなどをすると、ミスをした子は悪い意味で注目の的。自信を失い、サッカーを嫌いになりかねない。ましてや家に帰ってから親にも言われたら…。ミスが明らかなときこそあえて「反省禁止」にして次に切り替える。そういう潔さを持つことは、指導者に必要な資質かもしれない。

コツ 54 Part6 子どものやる気を引き出すアドバイス
練習できる子が伸びる

練習に使える時間には限りがある

サッカーの練習を優先できるかどうか

　練習をしたから下手になることはないし、練習をしないでうまくなることもない。うまくなる人は必ず練習しているものなのだ。同時に時間には限りがあって、絶対にやらなければならないことがある。それは学校で授業をして、宿題をする時間。食事をして寝るための時間などだ。その残りがゲームをしたり、テレビを見たり、サッカーの練習をするための時間ということになる。これは食事や睡眠とは違って、絶対にやらなければならない、というものではない。この時間の使い道に、ゲームを選ぶ人よりも、サッカーを選ぶ人がうまくなる。

サッカーを上達させるには……
食事や睡眠の時間は絶対に必要なもの！
▼しかし、
サッカーの練習は絶対にやらなければならないものではないが……
▼うまくなるには、
テレビやゲームではなく、練習に時間を使える子どもがうまくなる
▼練習内容で興味を持たせるために、
子どもたちは「えっ?」と思う数字や、キャッチーな単語に興味を持つ。やってみたいと思わせる工夫のひとつだ

コツ **55** Part6 子どものやる気を引き出すアドバイス
思いがけない発想をほめる

子どもらしい思いつきは個性として伸ばす

子どもの発想力を大切にする

海外のトップレベルの選手たちのプレーに創造性があるのは、子どもの頃から与えられた練習の意図を自分たちで考えながらやっているからだといわれる。言われたことを、言われたとおりにやるのが得意な日本の子どもたちとは正反対だ。だからこそ子どもの発想力は大切に育てたい。コーチの思いもしなかったことをやったら、それを認めてあげる。それが個性という武器になるはずだ。

子どもの発想力を生かす考え方
（例）
走っている人にパスを出す練習をする
▼
人はパスに合わせてスピードを上げたり、落としたりするため、多少ずれていても良いパスに見える。これではキックコントロールの練習効果は低い
▼
そこで動いているボールに当てるという練習に変える
▼
すると、ボールが速く動いていると難しいと考えた子どもが、パスを出すのを待って、止まりそうになった頃に蹴った
▼
これを練習の意図が違うからダメと子どもに言うのではなく、そういう考え方も「おもしろい！」というように考えてみる
▼
子どもは先を予測しているのだし、どうしたらうまくいくか考えた結果といえる

コツ 56 Part6 子どものやる気を引き出すアドバイス
達成感が子どもを伸ばす

できないことをやらせるより
できるレベル設定でやる

「10回できた！」が「サッカーは楽しい！」になる

リフティングを練習に取り入れたとする。チームには低く抑えてできる子もいれば、何度やっても数回しかできない子もいるはず。できない子にそのレベルでやらせ続けても、うまくなるまでには時間がかかる。うまくなるよりも前に「どうせ3回しかできないし」とやる気がなくなってしまうかもしれない。それならワンバウンドでもいいよというルールにしてあげた方がいい。ワンバウンドでも10回できたという達成感は同じ。達成感を得られれば、練習が楽しくなり、その方が上達は早い。

子どもの
やる気を
引き出す方法

ポイント❶ **できない子には簡単な練習をさせる**
ポイント❷ **達成感は子どものやる気を引き出す**
ポイント❸ **楽しく練習した方が上達は早い**

121

コツ57 Part6 子どものやる気を引き出すアドバイス
勝利にこだわりすぎない

目先の勝利よりも子どもの将来に責任を持つ

勝ち負けよりも育成に重点をおく

当たり前だが、サッカーは勝ち負けを競うもの。勝ちにこだわるのは悪いことではない。ただジュニア年代ということを考えると、勝ち負けがすべてになってはいけない。例えば8人制になって、その勝ち方や戦術を追求しているチームもある。でもそれは8人制のサッカーであって、11人のサッカーとは別物だ。8人制のサッカーをしていても、11人制にも通用するように指導するのが大事。それが勝利につながらないとしても。目先の勝利よりも、子どもの将来に責任を持たなければならない。

指導の考え方
- ポイント❶ 勝利至上主義にはならない
- ポイント❷ 子どもを型にはめない
- ポイント❸ 将来を見据えた育成をする

コツ58 Part6 子どものやる気を引き出すアドバイス
動画でプレーをチェックする

簡単に動画が撮れるのに利用しないのはもったいない

動画の活用法

- **ポイント❶** お父さん、お母さんが撮影して、すぐに子どもがチェック
- **ポイント❷** コーチに送って、次の練習までのアドバイスをもらう
- **ポイント❸** うまい人のプレーを撮影して、みんなで見て勉強する

自分の動作を客観的に見る

　いまは誰でもスマホなどで簡単に動画が撮影できる。それが思い出のため、記念のためだけではもったいない。自分はこう動いていると頭の中に描いているイメージと、実際の動作にはずれがあるもので、自分の動作を客観的に見るとそれを修正できると言われる。またスマホで撮った動画なら送ることも簡単。チーム練習ができないときに、コーチにチェックしてもらうこともできる。

コツ 59 Part6 子どものやる気を引き出すアドバイス
ルール設定を工夫する

じゃんけんの不確実さなどを利用してルールを決める

勝敗が分からない練習方法を考える

1対1など能力の差が直接結果に出やすい練習を続けていると、やる前から結果が見えるようになる。それはやっている子どもたちも同じ。そうなると勝てる相手だと思えば勝つようなプレーをするし、勝てない相手だと最初から動きが鈍くなるということが起きる。子どもは意識して手を抜いているわけではないから厄介だ。そんなときはじゃんけんの不確実性を利用して、勝敗をわからなくするという手がある。

子どものやる気を引き出す練習設定
1対1の練習　ルール設定の例

ルール①
1対1でラインを割ったとき、どちらが出したかにも関わらず、じゃんけんでどちらのボールかを決める

▼

下手な子は自分が触ってラインから出しても、また自分のボールから始められるかもしれないという気持ちでチャレンジできる

ルール②
1対1でラインを割ったら引き分けとする

▼

うまい子が下手な子とやるときも気を抜けない

じゃんけん

コツ 60 Part6 子どものやる気を引き出すアドバイス

下手な子に勝たせる方法

「勝った」という喜びが子どものやる気を引き出す

子どものやる気を引き出す練習設定
（例）
Aランク（上位）Bランク（中位）Cランク（下位）に分けたゲーム性の高い練習をする。内容はなんでもいい

▼

Cランクの人が成功したらB、BからAへと上がっていく。逆に失敗すればAからB、Cへと下がるというルール

▼

いつもCにいる子がたまたまBに上がった。そこでその練習をあえて終わりにしてしまう

▼

直接「すごいじゃないか」とほめる

▼

いつもAにいる子が、たまたまBにいれば「あいつと同じランクだぞ」というのもうれしいもの。

練習設定を工夫し「勝ち」を知る

　能力の劣る子は「どうせ自分は勝てない」と思いがち。そういう気持ちで練習していても楽しくないので余計にうまい子との差が開く。やる気がない子がいると、チーム練習の質は下がるし、士気にも影響するという悪循環になる。そうならないためにも、指導者は下手な子に勝たせる手段を知っておいた方がいい。「勝ってうれしい」という経験は、間違いなく子どものやる気を引き出す。

125

監修者

吉野弘一

1955年、旧浦和市北浦和生まれ。北浦和サッカー少年団でサッカーに出会い、浦和南高校在学中は地元クラブ「浦和キッカーズ」でプレー。卒業後、北浦和サッカー少年団監督に就任する。指導者として全国大会に5回出場し、優勝1回、3位3回の成績を誇る。ブラジル、アルゼンチンでの指導歴、研修歴多数。現在は、少年団の代表を退き、TD（テクニカルディレクター）として活動。また、一般社団法人ELF FREUNDE SPORT CLUB（エルフフロインデスポルトクルブ）の理事としてフットボールを通じた生涯スポーツ活動をしている。他にも、ロクフットボールクラブのジュニアユースのコーチとして指導している。

ELF FREUNDE SPORT CLUB
（エルフフロインデスポルトクルブ）
https://www.elf-sc.com

北浦和サッカースポーツ少年団

昭和40年に創設。全国大会ベスト8のほか、数々の成績を誇る少年団。湘南ベルマーレに所属する山田直輝や大宮アルディージャに所属する矢島慎也、名古屋グランパスからオランダ・ユトレヒトに期限付き移籍している前田直輝、横浜F・マリノスに所属する角田涼太郎など、Jリーガーも多数排出している。サッカーを通じて明るく強く粘りのある子を育成することをねらいとして、指導者。保護者が一体となり、人格形成途上にある少年少女に躍動の場を与えることを目的として活動している。
http://kitaurawa-sss.com

撮影協力

北浦和サッカースポーツ少年団の選手たち

ロク・フットボールクラブ
ROKU FOOTBALL CLUB
多くのプロサッカー選手を排出し、チームとしても全国大会出場など
輝かしい実績を誇る。専用の天然芝グラウンド「田中電気グラウンド」
をホームグラウンドとして使用している。
http://www.rokufc.jp/

STAFF
- 企画・編集／株式会社多聞堂
- 取材・執筆／大久保 亘
- 撮影／齋藤 豊
- デザイン／田中図案室

「サッカーの教え方」読んで差がつく 60のコツ 新装版
練習法や言葉がけの工夫で子どもの能力をぐんぐん伸ばす

2022年6月30日　　第1版・第1刷発行

監修者	吉野弘一（よしの ひろかず）
発行者	株式会社メイツユニバーサルコンテンツ
	代表者　三渡 治
	〒102-0093 東京都千代田区平河町一丁目1-8
印　刷	株式会社厚徳社

◎『メイツ出版』は当社の商標です。

●本書の一部、あるいは全部を無断でコピーすることは、法律で認められた場合を除き、著作権の侵害となりますので禁止します。
●定価はカバーに表示してあります。
© 多聞堂,2018,2022.ISBN978-4-7804-2638-0 C2075 Printed in Japan.

ご意見・ご感想はホームページから承っております。
ウェブサイト　https://www.mates-publishing.co.jp/

編集長：堀明研斗　企画担当：千代 寧

※本書は2018年発行の『パパが子どもを伸ばす「サッカーの教え方」読んで差がつく60のコツ』を元に内容の確認を行い、書名・装丁を変更して新たに発行したものです。